cartazes

musicais

kiko

farkas

musical

posters

para to

Clara

cartazes musicais

kiko farkas

musical posters

Paula Scher
Arthur Nestrovski
João de Souza Leite

COSACNAIFY

sumário

contents

Alguns pensamentos sobre os cartazes de Kiko Farkas, de uma concorrente invejosa

Paula Scher

Para um designer, um grande feito é conseguir criar um ótimo cartaz, ou talvez dois ou três. Se forem bastante reproduzidos em bienais, anuários e competições pelo mundo, tornam-se, por repetição, icônicos. Penso em muitos designers que realizaram isso, incluindo eu mesma.

Outra coisa, porém, é um só designer reunir um conjunto grande de cartazes, e somente cartazes, todos de igual qualidade, em um livro. É ainda mais extraordinário que o mesmo designer não apenas tenha reunido esse número imenso de cartazes excelentes, mas que os tenha editado de modo a apresentar, a cada página dupla, um par de abordagens com ideias afins, e que tenha conseguido essas afinidades, sem grandes esforços, por mais de uma centena de páginas.

Este pequeno grande livro de Kiko Farkas contém, página a página, todos os ingredientes de um cartaz irresistível: escala, forma, complexidade, padrão, textura, perspicácia, exuberância, linha, cor, minimalismo, tensão, força, lirismo, contenção e surpresa. Muitos dos cartazes são pictóricos e formalistas. Outros são conceituais. Todos são surpreendentes em sua diversidade, enquanto a qualidade permanece constante.

Outra recorrência é a precisão tipográfica. Os vários cartazes podem empregar padrões, fotografia ou desenho com linhas, mas o tipo é sempre cuidadosamente posicionado, geralmente servindo de âncora ou integrando-se à ilustração.

Some thoughts on Kiko Farkas' posters from a jealous competitor

Paula Scher

It's one thing for a designer to be able to design a terrific poster, or maybe even two or three. If they are reproduced enough in biennials, annuals and all the other international competitions, the posters will, through repitition, become iconic. I can think of many designers who have accomplished this, myself included.

However, it's quite something else for an individual designer to be able to assemble a massive body of posters, and only posters, all of equal quality, in one book. It is even more miraculous that this single designer has not only assembled this vast number of excellent posters, but has edited them so they are set out as spreads where each demonstrate a pair of like-minded approaches, and has been able to accomplish this pairing, seemingly effortlessly, for more than a hundred pages.

Kiko Farkas' small, but extensive book of posters demonstrates, spread by spread, all of the ingredients in a compelling poster: scale, form, complication, pattern, texture, wit, exuberance, line, color, minimalism, tension, power, lyricism, restraint and surprise. Many of the posters are painterly and formalistic. Others are conceptual. All of them are surprising in their diversity while the quality remains a constant.

Another constant is the typographic precision. The various posters may employ pattern, photography or line drawing, but the type is always carefully positioned, often serving as an anchor for the art work, and at other times becoming

A composição dos tipos em contraposição às imagens e às marcas ajuda a garantir a consistência da série. Embora a mesma fonte seja usada com frequência nos cartazes, nunca é usada exatamente da mesma forma.

A música tradicionalmente inspirou algumas dos melhores cartazes (os de jazz de Niklaus Troxler vêm logo à mente). Este conjunto de esplêndidos cartazes demonstra a vitalidade persistente da forma. Quisera eu tê-los feito.

integrated with the art. The handling of the type against the images and logos helps to ensure the consistency of the series. While the same font is often used in the posters, it is never used in quite the same way.

Music has traditionally inspired some of the best poster art (Niklaus Troxler's jazz posters immediately come to mind). Kiko Farkas' small colection of superb posters demonstrates the continued vitality of the form. I wish I had done them.

Uma brincadeira séria

Kiko Farkas

Em dezembro de 2002, recebi um telefonema da Orquestra Sinfônica do Estado de São Paulo, perguntando se me interessaria apresentar uma proposta para cuidar da sua comunicação visual. Na época, não conhecia muito bem o tamanho e a importância da instituição, mas topei na hora. Nos últimos quinze dias daquele ano, trabalhei febrilmente em cima de uma relação de itens enviada por eles na tentativa de fazer uma proposta financeira razoável. Imaginei um valor, mas no fundo sabia que estava mergulhando de cabeça no desconhecido: eu não tinha uma ideia real do que significavam aquelas indicações. Tinha, porém, a intuição de que algo importante poderia ser feito.

Paula Scher, em uma palestra no TED (associação norte-americana que organiza discussões em torno dos temas Tecnologia, Entretenimento e Design), chamada "Serious Play", afirma que as coisas importantes e realmente surpreendentes que ela realizou em sua carreira sempre foram, de alguma maneira, acidentais, inesperadas, ou ela achava que não estava preparada para realizá-las. Hoje, olhando em retrospecto, sinto que o mesmo aconteceu comigo. A Osesp me pegou totalmente de surpresa e, ainda atordoado, comecei o projeto no ritmo frenético que duraria todo o período.

Quando finalmente comecei o trabalho, não imaginava criar um universo visual que traduzisse o espírito da orquestra. Premido pelo prazo curto, meus objetivos eram bem mais modestos: procurava apenas terminar a tempo o primeiro programa de concerto, ordenando as informações com clareza e objetividade para que o público pudesse usufruir a música com o mínimo de distração e o máximo de informação.

Em março de 2003, fui à reunião com John Neschling, então

A serious play

Kiko Farkas

In December 2002, I received a call from the *Orquestra Sinfônica do Estado de São Paulo* [São Paulo State Symphony Orchestra], asking if I would be interested in presenting a proposal for its visual communications. At the time I didn't know much about the institution's size or reputation, but I accepted the offer on the spot! Over the last fifteen days of that year, I worked feverishly on a selection of items they had sent, in an attempt to come to a reasonable financial agreement. I had thought of a price, but I realised that I was diving headfirst into the unknown: I had no real idea of what those indications meant. I did however, have the feeling that something important was on the cards.

Paula Scher, in a lecture at TED (a North American association that organizes debate on the themes of Technology, Entertainment and Design) called "Serious Play" said that the important and truly surprising things she achieved over her career were always, to a degree, by chance or unexpected, or were things she felt she was not ready for. Today, looking back, I feel the same thing happened to me. Osesp took me completely by surprise and even in the midst of my fears I began the frenetic pace of the work that was to continue throughout that whole period.

When I finally began working, I had no idea I would be creating a visual universe that would translate the spirit of the orchestra. Harried by the tight deadline, my aims were far more modest: I merely wanted to finish the first concert program in time and order the information clearly and objectively so the public could enjoy the music with the minimun distraction and maximum information.

In March 2003, I went to the meeting with John Neschling, the then artistic director of the orchestra. Until that moment we had not actually met and all I knew about him was his fame as a

diretor artístico da orquestra. Até aquele momento não havíamos sido apresentados e tudo que conhecia dele era sua fama de maestro talentoso e muito exigente. Na reunião, em que estava presente o primeiro escalão da Osesp, Neschling segurou o programa impresso e foi condescendente. Reconheceu que não houvera tempo hábil para fazer um projeto gráfico totalmente novo, e disse: "Não é isso que eu quero. Eu quero que você enlouqueça!" Em certo momento da conversa, disse ainda que tinha escolhido a Máquina Estúdio, pelo que tinha visto no meu portfólio, pelas cores e pela irreverência do meu trabalho, e que queria ver tudo isso no material gráfico da orquestra. Falou também que a Osesp era moderna, e que o trabalho deveria traduzir essa postura.

Se por um lado saí da reunião com um gostinho de derrota na boca – a pior coisa que um profissional de criação pode ouvir sobre seu trabalho é que ele foi *apenas correto* –, por outro tinha uma chance de ouro nas mãos: a oportunidade, ou melhor, a exigência, de ir aos limites da minha criatividade.

A partir daí comecei a entender que minha verdadeira função como designer seria captar e traduzir em elementos visuais o espírito que estava por trás das ações da Osesp, e não apenas da sua face mais visível, que é a música. Ou seja, tratava-se de criar uma "marca".

A Osesp não é apenas uma orquestra, ela é geradora de cultura, num sentido mais amplo. Todas as suas ações deveriam conter sua marca. É claro que a eficiência e a clareza na informação não poderiam ser negligenciadas, mas comunicar um espírito de renovação e modernidade deveria ser seu objetivo estético primordial.

Nessa estratégia de construção da imagem da Osesp, os cartazes passaram a ocupar na minha cabeça um lugar de destaque. Com características bem particulares, eles seriam a tradução visual da música que a orquestra produzia, por meio da postura de seu diretor artístico, e da visão do designer contratado para colocá-la no papel.

Liberdade total: o maestro não recuou de sua exigência inicial e bancou todas as nossas experiências. Uma vez definidos os

talented and extremely demanding maestro. At the meeting, which included representatives from the upper echelons of Osesp, Neschling looked at the printed program and was condescending. He realized that there had not been enough time to create a totally new design, and said: "This isn't what I want. I want you to go crazy!" At some point in the conversation he mentioned that he had chosen Máquina Estúdio [Studio Machine], after seeing its portfolio, because of the colors and irreverence of my work, and that he wanted to see all this in the graphic material for the orchestra. He also said that Osesp was modern, and this should come through in the work.

While on one hand I left the meeting with a taste of failure – the worst thing that a creative professional can hear about his work is that he was *merely correct* –, on the other I had been given a golden opportunity: the chance, or rather, the demand to stretch the limits of my creativity.

From that point on I started to understand that my real purpose as a designer was to capture and translate into visual elements the spirit behind Osesp's undertakings, and not just the more visible face of their music. What I needed to do was to create a "brand".

Osesp is not simply an orchestra; it is a generator of culture in its widest sense. All of its undertakings should contain its brand. Of course, efficiency and clarity of information cannot be ignored, but the most important aesthetic objective should be to communicate a spirit of renovation and modernity.

In this strategy for constructing Osesp's image, the posters began to take on a position of greater importance in my mind. With their own very particular characteristics, they were to be the visual translation of the music the orchestra produced, through the approach of its artistic director, and the vision of the designer hired to capture it on paper.

Total freedom: the maestro did not renege on his initial demands and supported all our experiments. Once we had defined the direction, and the first pieces had been approved, we settled into a climate of trust. We enlarged the size of the posters

caminhos e aprovadas as primeiras peças, estabeleceu-se um clima de confiança. Aumentamos o tamanho dos cartazes de 70 × 70 cm para 80 × 120 cm e nos preparamos para enfrentar um desafio razoável: fizemos quase trezentos cartazes entre 2003 e 2007, além de todo material gráfico da orquestra – programas de concerto, anúncios e muitas peças menores.

Quando comecei a pensar em como enfrentaria esse enorme desafio, a primeira coisa que decidi foi que não usaria nenhum elemento normalmente associado à música de concerto. Imagens de compositores, instrumentos, teatros ou cidades, notações musicais como pauta, notas e outros símbolos. Nossa proposta foi trabalhar com os elementos que estão presentes na linguagem musical, mas que podem ser reinterpretados visualmente. Ritmo, harmonia, composição, conjunto, pausa, som, textura, tessitura, direção, dinâmica, melodia, ordem, desordem, paralelismos e tantos outros. Uma vez que decidimos o caminho, tudo era válido desde que expressasse alguma emoção relativa à música.

O ritmo de trabalho era alucinante e a equipe composta por meus assistentes Elisa Von Randow, Hugo Timm e depois Mateus Valadares, estava empenhada tão profundamente quanto eu, ajudando de modo decisivo. Algumas vezes a autoria era conjunta, e em outras dava liberdade para que eles conduzissem o processo.

Em alguns meses podem-se identificar famílias de cartazes bem definidas, em outros, há ligações mais sutis entre eles; em outros ainda, demos saltos bem grandes. Alguns cartazes foram criados em menos de uma hora, outros levaram dias. Com a pressão do tempo, cada um foi criado a partir do anterior, que continha já elementos do próximo, num processo contínuo que deixava pouco tempo para análise crítica, e que nos manteve em permanente estado de alerta criativo.

from 70 × 70 cm to 80 × 120 cm and prepared ourselves for a not inconsiderable challenge: we created nearly three hundred posters between 2003 and 2007, as well as all of the graphic material for the orchestra – concert programs, announcements and many other smaller projects.

When I started to think about how to face this tremendous challenge, the first thing that I decided on was to avoid any element normally associated with concert music such as images of composers, instruments, theatres, cities, or written musical language like staves, notes and other symbols. We wanted to work with elements that are present in musical language, and can be visually reinterpreted. Rhythm, harmony, composition, group, pause, sound, texture, tessitura, direction, dynamics, melody, order, disorder, parallels and many others. Once we had chosen the direction, anything would go as long as it would express some emotion connected to music.

The pace of work was manic and my assistants Elisa Von Randow, Hugo Timm, and later Mateus Valadares, were as deeply involved as I and their help was invaluable. On occasions we worked together, on others I gave them free rein to develop the process.

In some months it is possible to identify clearly defined families of posters; in others there are more subtle links between them; and in yet others there are vast differences. Some posters were created in less than an hour, and others took days. With the time constraints, each one was created based on the previous one, which already contained elements of the next, in a continuous process that left little time for critical analysis and kept us in a permanent state of creative alert.

Imagens da música

Arthur Nestrovski

Era o compositor Felix Mendelssohn, há quase duzentos anos, quem dizia que "a música é precisa demais para ser posta em palavras". A frase é tão boa que até parece verdade, mas nunca impediu os letristas, nem os críticos, nem os musicólogos de aceitarem o desafio. Nem nenhum de nós, afinal, para quem falar de música é uma das formas de dar conta dela, um dos modos de dar continuidade ao que nunca tem fim quando termina.

A música também será sempre suficientemente vaga para inspirar artistas plásticos, cineastas, coreógrafos, diretores de teatro – e designers gráficos. Veja-se o espetacular exemplo dessa coleção de cartazes criados por Kiko Farkas para a Osesp, no período de 2003 a 2007.

Que Kiko gosta de música já devia, àquela altura, estar mais do que claro. O trabalho que abria seu livro *Kiko Farkas – Máquina Estúdio* de 1999[1] era um cartaz para o documentário *Hermeto campeão* (1981), sobre o multi-instrumentista alagoano. "Acompanhei as filmagens como produtor [...] só para poder conhecer melhor o grande campeão", escreveu ele. Depois disso viriam, entre outros, projetos para as doze caixas da série "Grandes Nomes" (Polygram, 1995), para discos do violeiro Paulo Freire,[2] e para o livro *Rita lírica* (DBA, 1995), com as letras de Rita Lee ilustradas por material gráfico do arquivo da própria artista. Cada projeto completamente diferente do outro. Cada um em sintonia com a música. Cada um com a cara de Kiko Farkas.

Há mais nisso do que parece. Uma coisa é criar um estilo próprio, cultivar marcas pessoais, desenvolver consciente ou involuntariamente traços reconhecíveis, o que já não seria pouco. Outra é visitar mil e um estilos e se apropriar de cada um, sendo sempre o mesmo artista. Vistos hoje, em conjunto, os cartazes

1. *Kiko Farkas – Máquina Estúdio*. Rio de Janeiro: Sextante, 1999. Série "Portfólio Brasil/ Design Gráfico".
2. O mais recente, *Nuá – As músicas dos mitos brasileiros*. Campinas: Vai Ouvindo, 2009, inclui também desenhos à mão livre num livro que acompanha o CD.

Images of music

Arthur Nestrovski

Almost two hundred years ago the composer Felix Mendelssohn said, "music is too precise to be put into words". The phrase is so good that it could almost be true, but it has never stopped lyricists or critics or musicologists from taking up the challenge. In fact, it has stopped none of us, as talking about music is one of the ways of understanding it: a means of giving continuity to something endless once it has ended. Music will also always be nebulous enough to inspire artists, filmmakers, choreographers, stage directors – and graphic designers. A spectacular example is this collection of posters by Kiko Farkas for Osesp from 2003 to 2007.

It is patently clear that Kiko loves music. The work that opens his 1999 book,[1] was a poster for the documentary *Hermeto campeão* (1981), about the Brazilian multi-instrumentalist musician. "I watched the filming as a producer [...] in order to get to know the great man better," he wrote. After this came other projects, including ones for the twelve box-sets for the series "Grandes Nomes" [Great Names] (Polygram, 1995), for records by guitarist Paulo Freire,[2] and for the book *Rita lírica* (DBA, 1995), with Rita Lee's lyrics illustrated with graphic designs taken from the artist's own collection. Each project was completely different from each other. Each one was in harmony with the music. Each one had the stamp of Kiko Farkas.

There is more to this than meets the eye. It is one thing to create an individual style, to cultivate personal symbols, to consciously or subconsciously develop recognisable traits, none of which are insignificant. However, it is something else to visit a thousand and one styles and yet to own each one, while always being the same artist. Seen now, together as a group, the Osesp

1. Kiko Farkas, *Máquina Estúdio*. Rio de Janeiro: Sextante, 1999. Series "Portfólio Brasil/ Design Gráfico"
2. The most recent, *Nuá – As músicas dos mitos brasileiros*. Campinas: Vai Ouvindo, 2009, also includes freehand drawings in a book that accompanies the CD

da Osesp compõem uma verdadeira antologia do design gráfico, sem deixar de ser uma antologia de Kiko Farkas.

Dezenas de bolas de vários tamanhos e matizes – círculos dentro de círculos – acumulam-se no alto do espaço, suspensas sobre o vazio. Ou então são duas gigantescas formas semicirculares negras, uma de cada lado, unindo-se no ponto exato em que se equilibra, por um instante, uma bolinha preta. Ou ainda, para ficar nas sobreposições, são quadriláteros variados, em tons transparentes de roxo, contra o grande roxo. Ou flores incrivelmente sortidas, com direito a grandes borboletas monocromáticas voando sobre o jardim. Ou espirais, ou bambus tramados, subindo em curvas contrapontísticas.

Sem interdito à figuração: pode ser um rosto de mulher cantando, steinbergianamente traçado numa linha só. Ou uma geométrica pomba da paz, adejando no amarelo, para anunciar a *Missa in tempore belli* de Joseph Haydn. Ou uma sóbria cadeira preta, concentrada e solitária, em meio ao esplendor caótico de flores e cores. Ou um pandeirista num folguedo, estranhado de nós não só pelo chapéu alegórico, mas pelo intenso, oriental azul. Ou, para ficar em chapéus, um homem na multidão – no estádio do Pacaembu, para ser preciso –, destacado contra o mar de chapéus na foto antiga; ou, em outro caso, lendo jornal, todo púrpura, no adivinhado espaço ruidoso de um café.

Esses dois últimos exemplos servem para apontar outra coisa: a cada mês, aproximadamente, os cartazes teciam variações sobre um tema (forma geométrica, figura ou textura), sem que jamais se pudesse adivinhar a próxima. Nem temática, nem graficamente alguém saberia prever a próxima escolha. Podiam ser forminhas de doce multiplicadas; ou visões de ruas crepusculares da cidade pelo vidro molhado de um carro; ou coloridas geometrias caleidoscópicas; ou estilizações em preto e branco do braço de um violino; ou pinceladas "japonesas" (conversando com Franz Kline e Amilcar de Castro); ou paredes tridimensionais de quadrados iluminados por trás; ou chaves e chavinhas num balé mecânico; ou homenagens a Victor Vasarely, Joan Miró, a Josef Albers etc.

posters compose a true graphic design anthology, and yet at the same time continue to be a Kiko Farkas anthology.

Dozens of balls of varying sizes and patterns – circles within circles – accumulate at the top of the space, suspended over the emptiness. Two gigantic, black semi-circular shapes, one on each side, meet at the exact point on which a small black ball is balanced for an instant. Still on the subject of super imposition, a variety of quadrilateral shapes, in transparent tones of purple, are set against the larger purple. There are incredibly varied flowers, with monochromatic butterflies flying over the garden. Spirals, or woven bamboo, rising in counterpoint curves.

There is also figuration: it could be the face of a woman singing, Steinbergianly drawn in a single line. A geometric dove of peace, fluttering against the yellow background, announcing Joseph Haydn's *Missa in tempore belli*. A sombre black chair, concentrated and solitary in the middle of the chaotic splendour of flowers and colors. A tambourine player in a parade, made strange not only because of his allegorical hat, but also due to his intense oriental blue. Staying with hats, a man in the crowd – in Pacaembu stadium, in fact – highlighted against the sea of hats in the old photograph; or in another example, reading the paper, in crimson, in the sketchy noisy space of a café.

These last two examples serve to highlight something else: approximately every month the posters wove variations on a theme (geometric, figurative or textual forms), without one ever being able to guess the next. No one could know how to predict the thematic or graphic direction. There could be multiple sweet molds; or visions of city streets at dusk seen through wet car windows; or colored geometric kaleidoscopes; or black and white stylisations of the neck of a violin; or "Japanese" brushstrokes (in dialog with Franz Kline and Amilcar de Castro); or three-dimensional walls of squares illuminated from behind; or variously sized keys in a mechanical dance; or tributes to Victor Vasarely, Joan Miró, Josef Albers, etc.

"I am particularly fascinated by the shapes and rhythms

3. Interview with Ellen Shapiro, *Communication Arts*, vol. 47, n. 1, mar.-apr. 2005.

"Tenho um fascínio especial pelas formas e ritmos das coisas", diz Kiko.[3] Na certa, isso ajuda quem vai fazer cartazes para uma orquestra. O segredo sem segredo, nesse repertório de centenas de criações, foi justamente não se prender a algum elemento específico dessa ou daquela obra a ser tocada – exceto num ou noutro caso especial, como a pedra branca para os *Sete portões de Jerusalém* de Krzysztof Penderecki –, mas sim ocupar livremente o espaço musical da imaginação, onde ritmos e formas ganham precedência, movendo-se em direções inesperadas.

Essa liberdade atendia ainda ao pedido do maestro John Neschling: ajudar a combater a imagem careta da música sinfônica. Fazer dessa música algo sempre atual, tornar a sala de concertos um espaço também para o debate contemporâneo. Não só um museu onde visitar sonoramente obras do passado, mas um centro vivo de cultura.

A importância dos cartazes de Kiko Farkas não foi pequena nesse projeto. Vendo em conjunto essas imagens da música, elas têm não só a inconfundível cara do artista: desenham uma inconfundível cara da orquestra, num momento de extraordinária ambição e proporcional resultado. São também confundivelmente a nossa imagem, ou melhor, a imagem do nosso espanto e empenho, naqueles anos que consolidavam essa era de ouro da música de São Paulo – uma era que continuamos vivendo, como se fosse natural e como se tivesse sido sempre assim.

Mas não é e não foi: como tantas experiências dessa ordem, a dimensão das coisas só agora se mostra, em retrospecto. O tempo se dobra sobre si e nos revela uma verdade vivida, que já ganha contornos de história. São imagens da música também nesse sentido: retratos do que se foi e do que se fez. Cada um de nós vivendo essa música, semana após semana, inspirado pelas imagens de Kiko Farkas. Cada um de nós vivendo a música, posta assim em imagens, sob o signo do arrojo e da alegria.

3. Entrevista a Ellen Shapiro, *Communication Arts*, vol. 47, n. 1, mar.-abr. 2005.

of things", Kiko has said.[3] This is without doubt essencial for someone tasked with making posters for an orchestra. The secret that is no secret, in this repertoire of hundreds of creations, wasprecisely that he was not beholden to any one element of any of the works to be played – except in one or two exceptions, such as the white stone for Krzysztof Penderecki's *Seven Gates of Jerusalem*. Instead, he freely occupies the musical space of the imagination, where rhythms and shapes take precedence, and move themselves in unexpected directions.

This freedom also answered conductor John Neschling's request to help overturn symphonic music's square image. To turn this music into something more current, to make the concert hall into a space also for contemporary debate and not just a museum to visit musical works from the past, but rather, a living center of culture.

Kiko Farkas' posters played a not insignificant role in this project. These images of the music, seen together, not only evidence the artist's distinctive character: they also trace a distinct face of the orchestra, in a moment of extraordinary ambition and its subsequent results. Confusingly, they also bear our own image, or rather, the image of our shock and impulsion, over these years that have consolidated this golden age of music in São Paulo – an age in which we are still living, as if it were natural and as if it had always been like this.

But, that was not and is not the case: like so many other experiences of this type, the dimensions of things are only seen now in retrospect. Time folds in on itself and shows us a living truth that has already taken on the contours of history. They are images of music also in this respect: portraits of what has been done and of what is being done. Each of us living the music, put like this into images, under the auspice of daring and joy.

Cartazes

Posters

OSP
ORQUESTRA
SINFÔNICA DO ESTADO
DE SÃO PAULO
DIREÇÃO ARTÍSTICA
JOHN NESCHLING
SALA SÃO PAULO
13 MAR Carnaúba [quinta-feira 21h00]
14 MAR Araucária [sexta-feira 21h00]
15 MAR Imbuia [sábado 16h30]
John Neschling Regente
Marcial di Fonzo Bo Narrador
Maria Fernanda Atriz
Christine Buffle Soprano
Brigitte Balleys Contralto
Ian Caley Tenor
CORO DA OSESP
Naomi Munakata Regente
ARTHUR HONEGGER
O Rei Davi
Apoio cultural:
ripasa
Patrocinador da
série Araucária
CAMARGO CORRÊA
SECRETARIA
DA CULTURA
GOVERNO DO ESTADO DE
SÃO PAULO
CUIDANDO DE GENTE

ORQUESTRA
SINFÔNICA DO ESTADO
DE SÃO PAULO
DIREÇÃO ARTÍSTICA
JOHN NESCHLING
SALA SÃO PAULO
20 MAR Jacarandá - quinta-feira, 21h00
22 MAR Ipê - sábado, 16h30
John Neschling Regente
Pedro Carneiro Marimba
BENJAMIN BRITTEN
Sinfonia da Requiem, Op.20
ERKKI-SVEN TÜÜR
Concerto para Marimba - Ardor
HECTOR BERLIOZ
O Carnaval romano, Op.9
PAUL HINDEMITH
Metamorfoses sinfônicas sobre
Tema de C M v Weber
Apoio cultural:
ripasa
SECRETARIA
DA CULTURA
GOVERNO DO ESTADO DE
SÃO PAULO
CUIDANDO DE GENTE

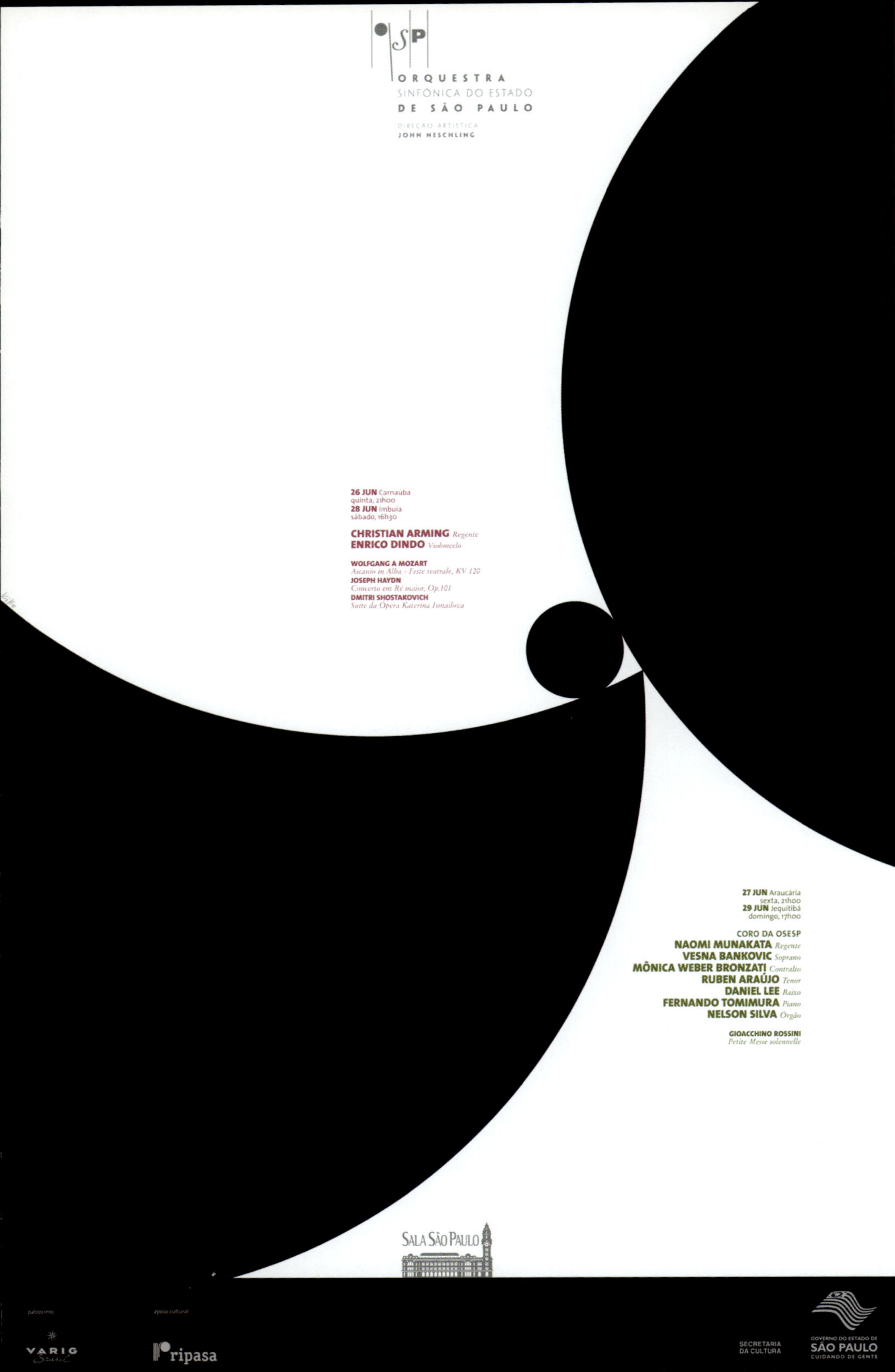
ORQUESTRA
SINFÔNICA DO ESTADO
DE SÃO PAULO
DIREÇÃO ARTÍSTICA
JOHN NESCHLING
26 JUN Carnaúba
quinta, 21h00
28 JUN Imbuia
sábado, 16h30
CHRISTIAN ARMING Regente
ENRICO DINDO Violoncelo
WOLFGANG A MOZART
Ascanio in Alba - Feste teatrale, KV 120
JOSEPH HAYDN
Concerto em Ré maior, Op.101
DMITRI SHOSTAKOVICH
Suite da Ópera Katerina Ismailova
27 JUN Araucária
sexta, 21h00
29 JUN Jequitibá
domingo, 17h00
CORO DA OSESP
NAOMI MUNAKATA Regente
VESNA BANKOVIC Soprano
MÔNICA WEBER BRONZATI Contralto
RUBEN ARAÚJO Tenor
DANIEL LEE Baixo
FERNANDO TOMIMURA Piano
NELSON SILVA Órgão
GIOACCHINO ROSSINI
Petite Messe solennelle
SALA SÃO PAULO
patrocínio
apoio cultural
VARIG
ripasa
SECRETARIA
DA CULTURA
GOVERNO DO ESTADO DE
SÃO PAULO
CUIDANDO DE GENTE

OSP
ORQUESTRA
SINFÔNICA DO ESTADO
DE SÃO PAULO
DIREÇÃO ARTÍSTICA
JOHN NESCHLING
PODE APLAUDIR
QUE A ORQUESTRA É SUA
SALA SÃO PAULO
patrocínio das séries
Araucária
Jequitibá
Jacarandá e Cedro
patrocínio
apoio cultural
Embratel
Nossa Caixa
VARIG
ripasa
SECRETARIA DA CULTURA
GOVERNO DO ESTADO DE
SÃO PAULO
CUIDANDO DE GENTE

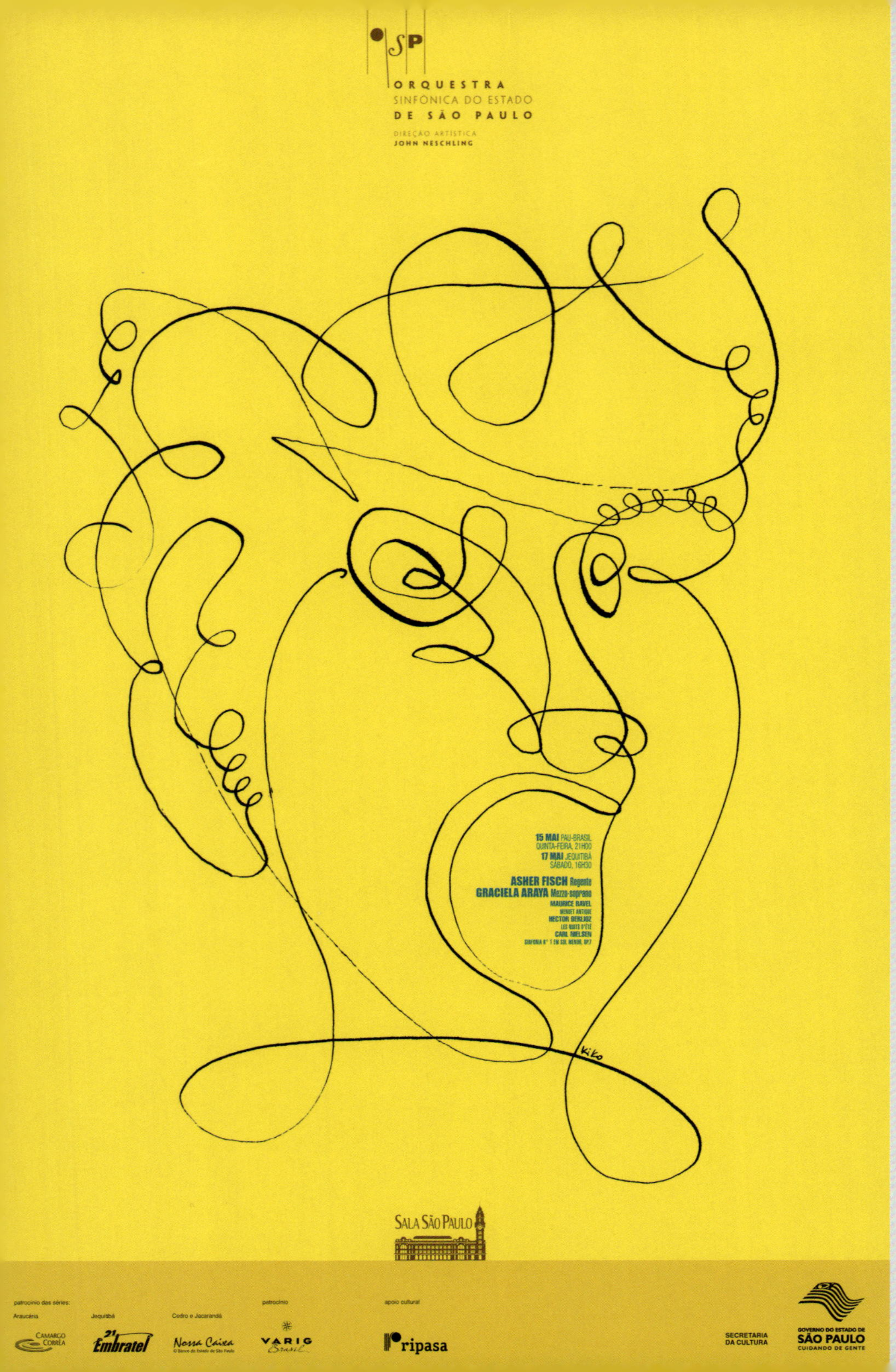
OSP
ORQUESTRA
SINFÔNICA DO ESTADO
DE SÃO PAULO
DIREÇÃO ARTÍSTICA
JOHN NESCHLING
15 MAI PAU-BRASIL
QUINTA-FEIRA, 21H00
17 MAI JEQUITIBÁ
SÁBADO, 16H30
ASHER FISCH Regente
GRACIELA ARAYA Mezzo-soprano
MAURICE RAVEL
MENUET ANTIQUE
HECTOR BERLIOZ
LES NUITS D'ÉTÉ
CARL NIELSEN
SINFONIA N° 1 EM SOL MENOR, OP.7
Kiko
SALA SÃO PAULO
patrocínio das séries:
Araucária
Camargo Corrêa
Jequitibá
21 Embratel
Cedro e Jacarandá
Nossa Caixa
O Banco do Estado de São Paulo
patrocínio
VARIG Brasil
apoio cultural
ripasa
SECRETARIA DA CULTURA
GOVERNO DO ESTADO DE SÃO PAULO
CUIDANDO DE GENTE

ORQUESTRA
SINFÔNICA DO ESTADO
DE SÃO PAULO

DIREÇÃO ARTÍSTICA
JOHN NESCHLING

12 JUN Carnaúba
quinta, 21h00
14 JUN Imbuia
sábado, 16h30

JOHN NESCHLING *Regente*
ARNALDO COHEN *Piano*

PIOTR I. TCHAIKOVSKY
Suíte nº 4 em Sol maior, Op.61 – Mozartiana
WOLFGANG A MOZART
Concerto nº 17 em Sol maior, KV 453
OTTORINO RESPIGHI
Festas romanas

SALA SÃO PAULO

patrocínio

VARIG Brasil

apoio cultural

ripasa

SECRETARIA DA CULTURA

GOVERNO DO ESTADO DE SÃO PAULO
CUIDANDO DE GENTE

OSP
ORQUESTRA
SINFÔNICA DO ESTADO
DE SÃO PAULO
DIREÇÃO ARTÍSTICA
JOHN NESCHLING
19 JUN Cedro
quinta, 21h00
21 JUN Mogno
sábado, 16h30
TAN DUN Regente
WAGNER POLISTCHUK Regente
STEPHEN BRYANT Baixo
DAVID COSSIN Percussão
TAN DUN
Orchestral Theatre "0": for Orchestra
Orchestral Theatre II: Re
Concerto para Aquapercussão e Orquestra
SALA SÃO PAULO
patrocínio das séries:
Cedro e Jacarandá
Nossa Caixa
O Banco do Estado de São Paulo
patrocínio
VARIG
Brasil
apoio cultural
ripasa
SECRETARIA
DA CULTURA
GOVERNO DO ESTADO DE
SÃO PAULO
CUIDANDO DE GENTE

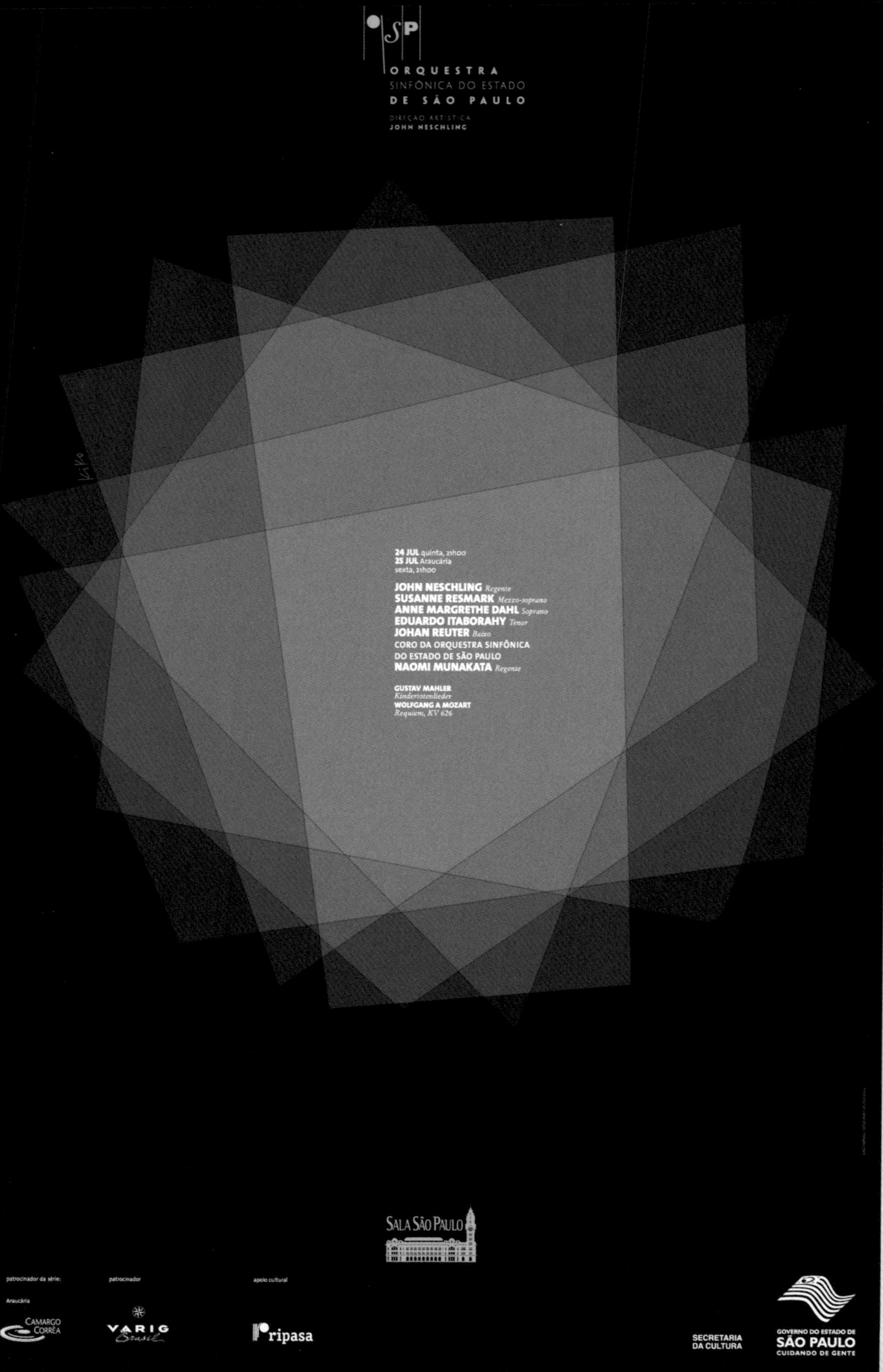
OSP
ORQUESTRA
SINFÔNICA DO ESTADO
DE SÃO PAULO
DIREÇÃO ARTÍSTICA
JOHN NESCHLING
24 JUL quinta, 21h00
25 JUL Araucária
sexta, 21h00
JOHN NESCHLING Regente
SUSANNE RESMARK Mezzo-soprano
ANNE MARGRETHE DAHL Soprano
EDUARDO ITABORAHY Tenor
JOHAN REUTER Baixo
CORO DA ORQUESTRA SINFÔNICA
DO ESTADO DE SÃO PAULO
NAOMI MUNAKATA Regente
GUSTAV MAHLER
Kindertotenlieder
WOLFGANG A MOZART
Requiem, KV 626
SALA SÃO PAULO
patrocinador da série:
Araucária
CAMARGO CORRÊA
patrocinador
VARIG Brasil
apoio cultural
ripasa
SECRETARIA DA CULTURA
GOVERNO DO ESTADO DE SÃO PAULO
CUIDANDO DE GENTE

SECRETARIA
DA CULTURA
GOVERNO DO ESTADO DE
SÃO PAULO
CUIDANDO DE GENTE
QUE
PODE
APLAUDIR
A
ORQUESTRA
É SUA
OSP
ORQUESTRA
SINFÔNICA DO ESTADO
DE SÃO PAULO
DIREÇÃO ARTÍSTICA
JOHN NESCHLING
Kiko
patrocinadores das séries
Araucária
Jequitibá
Cedro e Jacarandá
patrocinador
apoio cultural
CAMARGO CORRÊA
Embratel
Nossa Caixa
VARIG
ripasa
SALA SÃO PAULO

OSP
ORQUESTRA
SINFÔNICA DO ESTADO
DE SÃO PAULO
DIREÇÃO ARTÍSTICA
JOHN NESCHLING
SECRETARIA
DA CULTURA
GOVERNO DO ESTADO DE
SÃO PAULO
CUIDANDO DE GENTE
31 JUL Cedro
quinta, 21h00
02 AGO Ipê
sábado, 16h30
KURT MASUR Regente
RICHARD STRAUSS
Don Juan, Op.20
LUDWIG VAN BEETHOVEN
Abertura Egmont, Op.84
JOHANNES BRAHMS
Sinfonia nº 4 em fá menor, Op.98
Kiko
patrocinador da série
Cedro e Jacaranda
Nossa Caixa
O Banco do Estado de São Paulo
patrocinador
VARIG
apoio cultural
ripasa
SALA SÃO PAULO

ORQUESTRA
SINFÔNICA DO ESTADO
DE SÃO PAULO
DIREÇÃO ARTÍSTICA
JOHN NESCHLING
SECRETARIA DA CULTURA
GOVERNO DO ESTADO DE SÃO PAULO
CUIDANDO DE GENTE
VEL
07 AGO Pau-Brasil
quinta-feira 21h00
09 AGO Jequitibá
sábado 16h30
ORQUESTRA SINFÔNICA
DO ESTADO DE SÃO PAULO
ROBERTO MINCZUK Regente
ALEXANDER TORADZE Piano
MAURICE RAVEL
Rapsódia espanhola
PIOTR I. TCHAIKOVSKY
Concerto nº 1 em si b menor, Op.23
SERGEI PROKOFIEV
Suíte Cita, Op. 20 - Ala e Lolli
MAURICE RAVEL
Bolero
OKOFIEV
patrocinador da série:
Jequitibá
Embratel
patrocinador
VARIG
apoio cultural
ripasa
SALA SÃO PAULO

OSP
ORQUESTRA
SINFÔNICA DO ESTADO
DE SÃO PAULO
DIREÇÃO ARTÍSTICA
JOHN NESCHLING
SECRETARIA DA CULTURA
GOVERNO DO ESTADO DE
SÃO PAULO
CUIDANDO DE GENTE
28 AGO Cedro
quinta 21h00
30 AGO Mogno
sábado 16h30
ORQUESTRA SINFÔNICA DO ESTADO DE SÃO PAULO
JOHN NESCHLING Regente
JEAN-LOUIS STEUERMAN Piano
BÉLA BARTÓK
O Mandarim maravilhoso, Op.19
*HEITOR VILLA-LOBOS
Concerto nº 2
JEAN SIBELIUS
Sinfonia nº 5 em Mi bemol maior, Op.82
29 AGO Pau-Brasil
sexta 21h00
31 AGO Araucária
domingo 17h00
MÚSICA DE CÂMARA
QUARTETO AMAZÔNIA
HEITOR VILLA-LOBOS
Quarteto nº 7
FRANZ SCHUBERT
Quarteto A Morte e a Donzela
patrocinadores das séries:
Araucária
CAMARGO CORRÊA
Cedro e Jacarandá
Nossa Caixa
O Banco do Estado de São Paulo
patrocinador
VARIG Brasil
apoio cultural
ripasa
Prefeitura do Município de São Paulo
Secretaria Municipal da Cultura
SALA SÃO PAULO

OSP
ORQUESTRA
SINFÔNICA DO ESTADO
DE SÃO PAULO
DIREÇÃO ARTÍSTICA
JOHN NESCHLING
SECRETARIA
DA CULTURA
GOVERNO DO ESTADO DE
SÃO PAULO
CUIDANDO DE GENTE
PODE
APLAUDIR
QUE A
ORQUESTRA
É SUA
ORQUESTRA SINFÔNICA DO ESTADO DE SÃO PAULO
TURNÊ
EUROPA
2003
CAMARGO CORRÊA
Embratel
Nossa Caixa
O Banco do Estado de São Paulo
VARIG
Brasil
ripasa
SALA SÃO PAULO

OSP
ORQUESTRA
SINFÔNICA DO ESTADO
DE SÃO PAULO
DIREÇÃO ARTÍSTICA
JOHN NESCHLING
SECRETARIA
DA CULTURA
GOVERNO DO ESTADO DE
SÃO PAULO
CUIDANDO DE GENTE
09 OUT - quinta 21h00
OSESP
ORQUESTRA SINFÔNICA DO
ESTADO DE SÃO PAULO
JOHN NESCHLING regente
JEAN-LOUIS STEUERMAN piano
BÉLA BARTÓK
O Mandarim maravilhoso, Op.19
HEITOR VILLA-LOBOS
Concerto nº 2
OTTORINO RESPIGHI
Festas romanas
patrocinador
apoio cultural
VARIG
Brasil
ripasa
SALA SÃO PAULO

OSP
ORQUESTRA
SINFÔNICA DO ESTADO
DE SÃO PAULO
DIREÇÃO ARTÍSTICA
JOHN NESCHLING
SECRETARIA DA CULTURA
GOVERNO DO ESTADO DE SÃO PAULO
CUIDANDO DE GENTE
02 OUT Jacarandá
quinta 21h00
04 OUT Ipê
sábado 16h30
OSESP
ORQUESTRA SINFÔNICA DO
ESTADO DE SÃO PAULO
ROBERTO MINCZUK Regente
BRUNO CANINO Piano
RICHARD WAGNER
O Crepúsculo dos Deuses – Marcha fúnebre
WOLFGANG A MOZART
Concerto nº 21 em Dó maior, KV.467
JOHANNES BRAHMS
Sinfonia nº 1 em dó menor, Op.68
05 OUT Araucária
domingo 17h00
OSESP
MÚSICA DE CÂMARA
BRUNO CANINO Piano
ANTONÍN DVORÁK
Quinteto para Piano e Cordas, Op.81
LUDWIG VAN BEETHOVEN
Quinteto para Piano e Sopros, Op.16
FRANCIS POULENC
Sexteto para Piano e Sopros
Kiko
patrocinadores das séries:
Araucária
Cedro e Jacarandá
patrocinador
apoio cultural
CAMARGO CORRÊA
Nossa Caixa
O Banco do Estado de São Paulo
VARIG Brasil
Ripasa
Prefeitura do Município de São Paulo
Secretaria Municipal de Cultura
SALA SÃO PAULO

OSP
ORQUESTRA
SINFÔNICA DO ESTADO
DE SÃO PAULO
DIREÇÃO ARTÍSTICA
JOHN NESCHLING
SECRETARIA
DA CULTURA
GOVERNO DO ESTADO DE
SÃO PAULO
CUIDANDO DE GENTE
30 OUT Pau-Brasil
quinta 21h00
01 NOV Jequitibá
sábado 16h30
CORO DA OSESP
NAOMI MUNAKATA Regente
HENRY PURCELL
Dido e Enéas
patrocinadores das séries
patrocinador
apoio cultural
Jequitibá
Embratel
VARIG
Brasil
ripasa
Prefeitura do Município de São Paulo
Secretaria Municipal de Cultura
SALA SÃO PAULO

ORQUESTRA
SINFÔNICA DO ESTADO
DE SÃO PAULO
DIREÇÃO ARTÍSTICA
JOHN NESCHLING
SECRETARIA
DA CULTURA
GOVERNO DO ESTADO DE
SÃO PAULO
CUIDANDO DE GENTE
ESTRA SINFÔNICA DO ESTADO DE SÃO PAULO
PODEAPLAUDIRQUE A
ORQUESTRA
É SUA
Kiko
patrocinadores das séries:
Araucária
Jequitibá
Cedro e Jacarandá
patrocínio
apoio cultural
CAMARGO CORRÊA
21 Embratel
Nossa Caixa
O Banco do Estado de São Paulo
VARIG Brasil
ripasa
Prefeitura do Município de São Paulo
Secretaria Municipal da Cultura
SALA SÃO PAULO

OSP
ORQUESTRA
SINFÔNICA DO ESTADO
DE SÃO PAULO
DIREÇÃO ARTÍSTICA
JOHN NESCHLING
SECRETARIA
DA CULTURA
GOVERNO DO ESTADO DE
SÃO PAULO
CUIDANDO DE GENTE
NESCHLING
ORQUESTRA SINFÔNICA DO ESTADO DE SÃO PAULO
GELBER
04 SET Pau-Brasil
quinta, 21h00
06 SET Jequitibá
sábado, 16h30
ORQUESTRA SINFÔNICA
DO ESTADO DE SÃO PAULO
JOHN NESCHLING Regente
BRUNO LEONARDO GELBER Piano
CORO DA OSESP
NAOMI MUNAKATA Regente
JOHANNES BRAHMS
Nänie, Op.82
Schicksalslied, Op.54
Concerto nº 2 em Si bemol maior, Op.83
Kiko
patrocinador da série:
Jequitibá
Embratel
patrocínio
VARIG Brasil
apoio cultural
ripasa
Prefeitura
do Município
de São Paulo
Secretaria Municipal
da Cultura
SALA SÃO PAULO

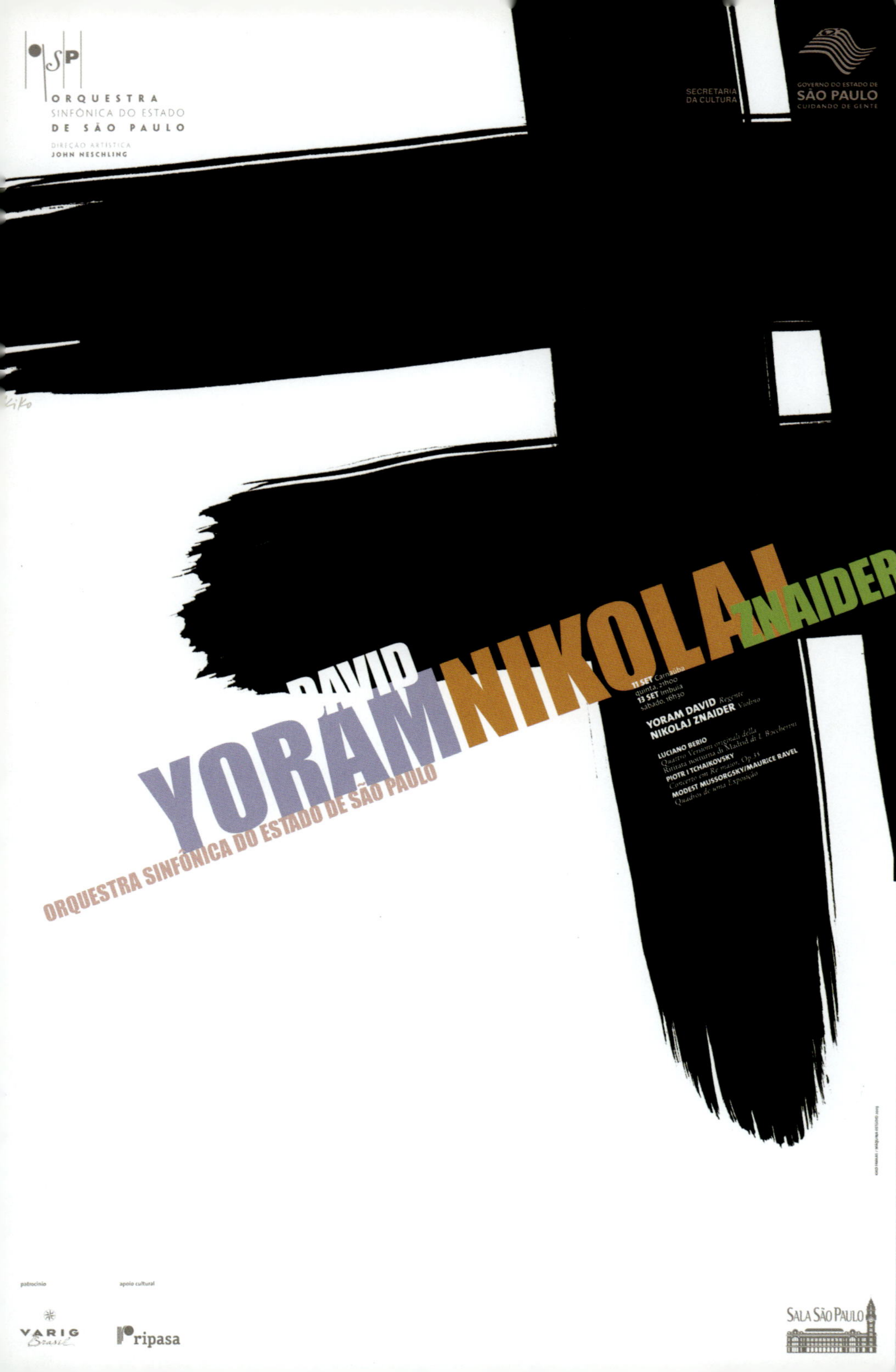
ORQUESTRA
SINFÔNICA DO ESTADO
DE SÃO PAULO
DIREÇÃO ARTÍSTICA
JOHN NESCHLING
SECRETARIA
DA CULTURA
GOVERNO DO ESTADO DE
SÃO PAULO
CUIDANDO DE GENTE
DAVID
YORAM
NIKOLAJ
ZNAIDER
ORQUESTRA SINFÔNICA DO ESTADO DE SÃO PAULO
11 SET Carnaúba
quinta, 21h00
13 SET Imbuia
sábado, 16h30
YORAM DAVID Regente
NIKOLAJ ZNAIDER Violino
LUCIANO BERIO
Quattro Versioni originali della
Ritirata notturna di Madrid di L. Boccherini
PIOTR I TCHAIKOVSKY
Concerto em Ré maior, Op. 35
MODEST MUSSORGSKY/MAURICE RAVEL
Quadros de uma Exposição
patrocínio
apoio cultural
VARIG
Brasil
ripasa
SALA SÃO PAULO

ORQUESTRA
SINFÔNICA DO ESTADO
DE SÃO PAULO
JOHN NESCHLING
SECRETARIA
DA CULTURA
GOVERNO DO ESTADO DE
SÃO PAULO
CUIDANDO DE GENTE
FUKUDA
CRUZ
ORQUESTRA SINFÔNICA DO ESTADO DE SÃO PAULO
NESCHLING
18 SET Araucária
quinta, 21h00
20 SET Mogno
sábado, 16h30
JOHN NESCHLING Regente
ELISA FUKUDA Violino
CLAUDE DEBUSSY
CAMILLE SAINT-SAËNS
CLAUDIO SANTORO
HEITOR VILLA-LOBOS
19 SET Jacarandá
sexta, 21h00
21 SET Ipê
domingo, 17h00
ORQUESTRA DE CÂMARA DA OSESP
CLÁUDIO CRUZ Regente e Violino
EDINO KRIEGER
Divertimento para Cordas
FELIX MENDELSSOHN-BARTHOLDY
Concerto em ré menor
Sinfonia nº 7 em ré menor
LEOPOLDO MIGUEZ
Sylvia (Elegia)
patrocinadores das séries
Cedro e Jacarandá
Araucária
patrocínio
apoio cultural
Nossa Caixa
O Banco do Estado de São Paulo
CAMARGO CORRÊA
VARIG Brasil
ripasa
SALA SÃO PAULO

ORQUESTRA
SINFÔNICA DO ESTADO
DE SÃO PAULO
DIREÇÃO ARTÍSTICA
JOHN NESCHLING
SECRETARIA
DA CULTURA
GOVERNO DO ESTADO DE
SÃO PAULO
CUIDANDO DE GENTE
PODE
APLAUDIR
QUE A
ORQUESTRA
E SUA.
patrocinadores das séries:
Araucária
CAMARGO CORRÊA
Jequitibá
21 Embratel
Cedro e Jacarandá
Nossa Caixa
O Banco do Estado de São Paulo
patrocinador
VARIG Brasil
apoio cultural
ripasa
SALA SÃO PAULO

ORQUESTRA
SINFÔNICA DO ESTADO
DE SÃO PAULO
DIREÇÃO ARTÍSTICA
JOHN NESCHLING
SECRETARIA
DA CULTURA
GOVERNO DO ESTADO DE
SÃO PAULO
CUIDANDO DE GENTE
07 NOV - sexta 21h00
CORO INFANTIL DA OSESP
TERUO YOSHIDA Regente
GABRIEL FAURÉ
Ave verum Corpus
Tantum Ergo
OSVALDO LACERDA
Missa a duas Vozes
CAMILLE SAINT-SAËNS
O Carnaval dos Animais
JOÃO DE SOUZA LIMA
Cantos infantis brasileiros
patrocinador
apoio cultural
VARIG
Brasil
ripasa
SALA SÃO PAULO

ORQUESTRA
SINFÔNICA DO ESTADO
DE SÃO PAULO
DIREÇÃO ARTÍSTICA
JOHN NESCHLING
SECRETARIA
DA CULTURA
GOVERNO DO ESTADO DE
SÃO PAULO
CUIDANDO DE GENTE
27 NOV Cedro
quinta, 21h00
29 NOV Mogno
sábado, 16h30
JOHN NESCHLING Regente
ODILON WAGNER Narrador
GUIOMAR MILAN Soprano
CORO DA OSESP
NAOMI MUNAKATA Regente
CORO INFANTIL DA OSESP
TERUO YOSHIDA Regente
ROBERT SCHUMANN
Sinfonia nº 1 em Si bemol maior, Op.38 - Primavera
LEONARD BERNSTEIN
Sinfonia nº 3 - Kaddish
patrocinadores das séries:
Cedro e Jacarandá
Nossa Caixa
O Banco do Estado de São Paulo
rocinador
apoio cultural
VARIG Brasil
ripasa
SALA SÃO PAULO

OSP
ORQUESTRA
SINFÔNICA DO ESTADO
DE SÃO PAULO
DIREÇÃO ARTÍSTICA
JOHN NESCHLING
SECRETARIA DE
ESTADO DA CULTURA
GOVERNO DO ESTADO DE
SÃO PAULO
RESPEITO POR VOCÊ
PODE
APLAUDIR
QUE A
ORQUESTRA
É SUA
SALA SÃO PAULO
Nossa Caixa
MOTOROLA
SEMP TOSHIBA
UNIBANCO
CAMARGO CORRÊA
VARIG
Hertz
LODUCCA22

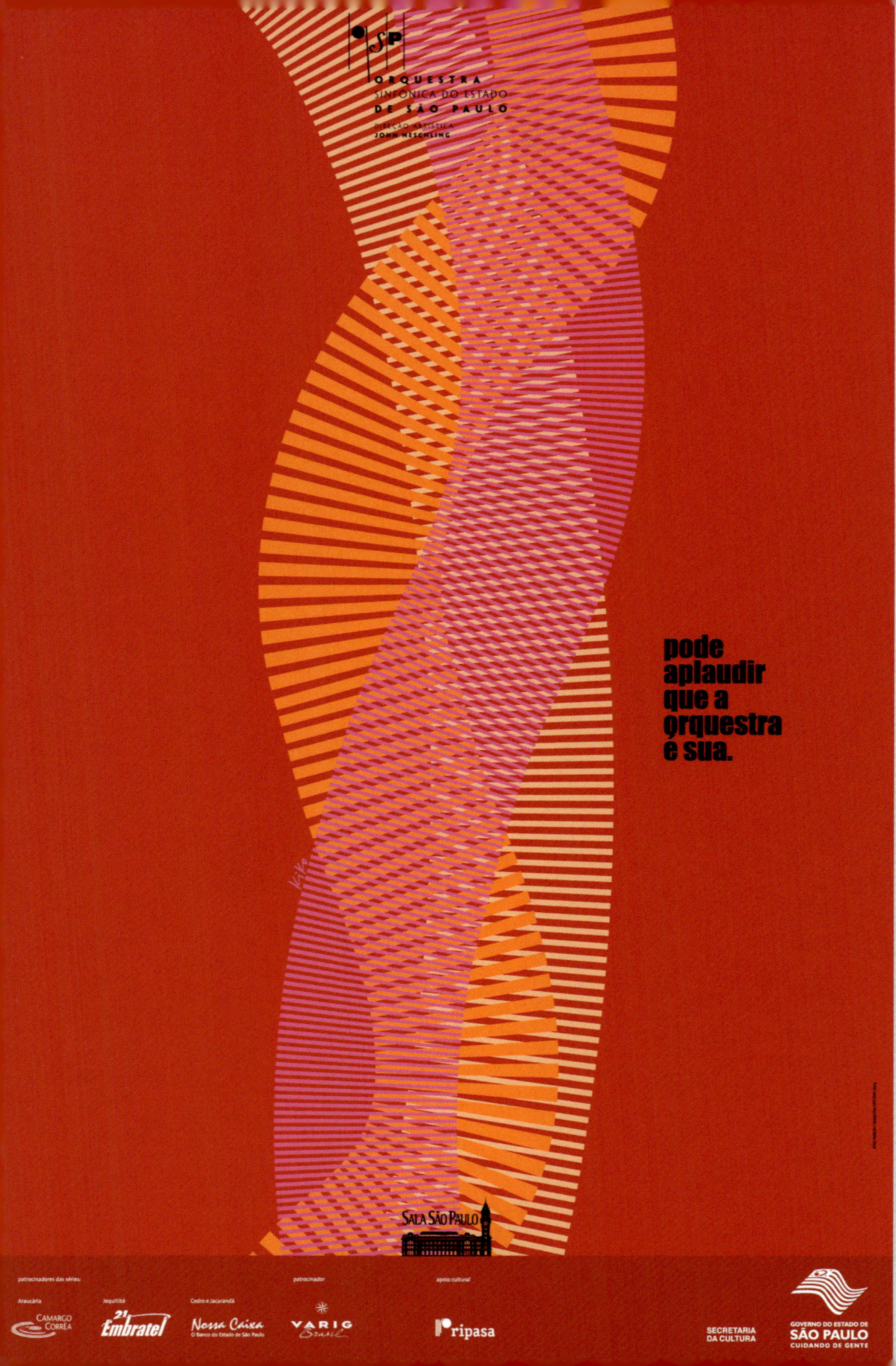
OSP
ORQUESTRA
SINFÔNICA DO ESTADO
DE SÃO PAULO
DIREÇÃO ARTÍSTICA
JOHN NESCHLING
pode
aplaudir
que a
orquestra
é sua.
SALA SÃO PAULO
patrocinadores das séries:
Araucária
CAMARGO CORRÊA
Jequitibá
21 Embratel
Cedro e Jacarandá
Nossa Caixa
O Banco do Estado de São Paulo
patrocinador
VARIG Brasil
apoio cultural
ripasa
SECRETARIA
DA CULTURA
GOVERNO DO ESTADO DE
SÃO PAULO
CUIDANDO DE GENTE

ORQUESTRA SINFÔNICA DO ESTADO DE SÃO PAULO
DIREÇÃO ARTÍSTICA
JOHN NESCHLING
SECRETARIA DA CULTURA
GOVERNO DO ESTADO DE SÃO PAULO
CUIDANDO DE GENTE
04 DEZ Pau-Brasil
quinta, 21h00
06 DEZ Jequitibá
sábado, 16h30
ORQUESTRA SINFÔNICA
DO ESTADO DE SÃO PAULO
YORAM DAVID Regente
DEZSÖ RANKI E EDIT KLUKON Pianos
CORO DA OSESP
NAOMI MUNAKATA Regente
LUDWIG VAN BEETHOVEN
Meeresstille und glückliche Fahrt, Op.112
WOLFGANG A MOZART
Concerto para dois Pianos em Mi bemol maior, KV 365 (316a)
ANTONÍN DVORÁK
Sinfonia nº 7 em ré menor, Op.70
08 DEZ Araucária
segunda, 21h00
OSESP
MÚSICA DE CÂMARA
DEZSÖ RANKI E EDIT KLUKON Pianos
WOLFGANG A MOZART
MAURICE RAVEL
Bolero
BÉLA BARTÓK
Mikrokosmos (sete peças)
Sonata para dois Pianos e Percussão
patrocinadores das séries:
Araucária
Jequitibá
CAMARGO CORRÊA
Embratel
patrocinador
VARIG Brasil
apoio cultural
ripasa
SALA SÃO PAULO

SECRETARIA DA CULTURA
GOVERNO DO ESTADO DE SÃO PAULO
CUIDANDO DE GENTE
OSP
ORQUESTRA
SINFÔNICA DO ESTADO
DE SÃO PAULO
DIREÇÃO ARTÍSTICA
JOHN NESCHLING
20 NOV Carnaúba
quinta, 21h00
21 NOV sexta, 21h00
22 NOV Imbuia
sábado, 16h30
JOHN NESCHLING Regente
NELSON FREIRE Piano
GILBERTO SIQUEIRA Trompete
GIACOMO PUCCINI
Capriccio sinfonico
DMITRI SHOSTAKOVICH
Concerto nº 1 em dó menor, Op.35
RICHARD STRAUSS
Aus Italien, Op.16
patrocinador
apoio cultural
VARIG
Ripasa
SALA SÃO PAULO

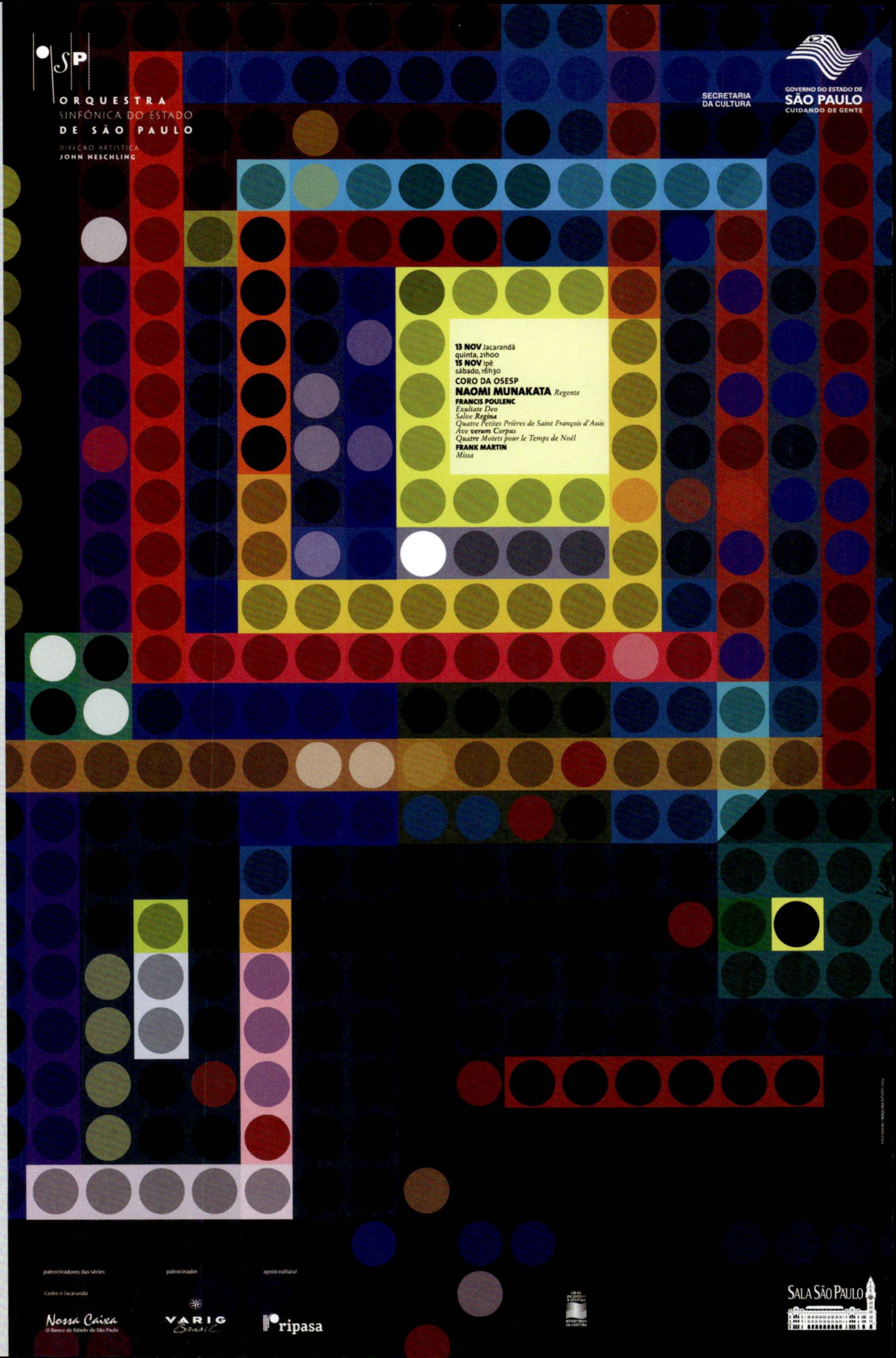
ORQUESTRA
SINFÔNICA DO ESTADO
DE SÃO PAULO
DIREÇÃO ARTÍSTICA
JOHN NESCHLING
SECRETARIA
DA CULTURA
GOVERNO DO ESTADO DE
SÃO PAULO
CUIDANDO DE GENTE
13 NOV Jacarandá
quinta, 21h00
15 NOV Ipê
sábado, 16h30
CORO DA OSESP
NAOMI MUNAKATA Regente
FRANCIS POULENC
Exultate Deo
Salve Regina
Quatre Petites Prières de Saint François d'Assis
Ave verum Corpus
Quatre Motets pour le Temps de Noël
FRANK MARTIN
Missa
patrocinadores das séries:
Cedro e Jacarandá
Nossa Caixa
O Banco do Estado de São Paulo
patrocinador
VARIG
Brasil
apoio cultural
ripasa
SALA SÃO PAULO

ORQUESTRA
SINFÔNICA DO ESTADO
DE SÃO PAULO
JOHN NESCHLING
FUNDAÇÃO OSESP
ORGANIZAÇÃO SOCIAL DA CULTURA
30 mar quinta 21h00 PAU-BRASIL
31 mar sexta 21h00 SAPUCAIA
01 abr sábado 16h30 JEQUITIBÁ
John Neschling
regente
Arnaldo Cohen
piano
WOLFGANG A MOZART
Serenata nº 11 em Mi bemol maior, KV 375
SERGEI RACHMANINOV
Rapsódia sobre um Tema de Paganini, Op.43
ROBERT SCHUMANN
Sinfonia nº 4 em ré menor, Op.120
SALA SÃO PAULO
CREDICARD
UNIBANCO
SÃO PAULO

OSP 50 ANOS
ORQUESTRA
SINFÔNICA DO ESTADO
DE SÃO PAULO
JOHN NESCHLING
SECRETARIA
DA CULTURA
GOVERNO DO ESTADO DE
SÃO PAULO
RESPEITO POR VOCÊ
02 SET Cedro quinta 21h00
04 SET Mogno sábado 16h30
REGENTE
JOHN NESCHLING
BAIXO-BARITONO
THOROH DE SOUZA
TENOR
MARCOS THADEU
BARITONO
SERGEI LEIFERKUS
SOPRANO
MARINA SHAGUCH
TENOR
VSEVOLOD GRIVNOV
CORO DA OSESP
SERGEI RACHMANINOV
Francesca da Rimini
Patrocínio da
série Cedro
SEMP TOSHIBA
patrocínio
apoio cultural
VARIG Brasil
Loducca
ripasa
Hertz
SALA SÃO PAULO

OSP
50 ANOS
ORQUESTRA
SINFÔNICA DO ESTADO
DE SÃO PAULO
JOHN NESCHLING
SECRETARIA DA CULTURA
GOVERNO DO ESTADO DE SÃO PAULO
04 MAR PAU-BRASIL qui 21H00
05 MAR sex 21H00
06 MAR JEQUITIBÁ sáb 16H30
ROBERTO MINCZUK
IRENE THÉORIN
LUISA FRANCESCONI
JOHNNY VAN HAL
GEERT SMITS
CORO DA OSESP
CORAL PAULISTANO
LUDWIG VAN BEETHOVEN
Nossa Caixa
Instituto 21 Embratel
VARIG
UNIBANCO
ripasa
Safra Instituto Cultural
SALA SÃO PAULO

OSP 50 ANOS
ORQUESTRA
SINFÔNICA DO ESTADO
DE SÃO PAULO
DIREÇÃO ARTÍSTICA
JOHN NESCHLING
SECRETARIA DA CULTURA
GOVERNO DO ESTADO DE SÃO PAULO
CUIDANDO DE GENTE
11 MAR Cedro quinta 21h00
13 MAR Mogno sábado 16h30
JOHN NESCHLING Regente
Gustav Mahler
Sinfonia nº 9 em Ré maior
Patrocínio da Série Cedro
SEMP TOSHIBA
Patrocínio
YARIG
Apoio Cultural ao Centro de Documentação Musical Maestro Eleazar de Carvalho
Safra Instituto Cultural
Apoio Cultural
ripasa
UNIBANCO
SALA SÃO PAULO

OSP
50 ANOS
ORQUESTRA
SINFÔNICA DO ESTADO
DE SÃO PAULO
JOHN NESCHLING
SECRETARIA DA CULTURA
GOVERNO DO ESTADO DE SÃO PAULO
CUIDANDO DE GENTE
01 ABR
03 ABR
ENRIQUE BARRIOS
RICARDO CASTRO
JOSÉ PABLO MONCAYO
BENJAMIN BRITTEN
SERGEI RACHMANINOV
VARIG
ripasa
SALA SÃO PAULO

OSP 50 ANOS
ORQUESTRA
SINFÔNICA DO ESTADO
DE SÃO PAULO
DIREÇÃO ARTÍSTICA
JOHN NESCHLING
SECRETARIA
DA CULTURA
GOVERNO DO ESTADO DE
SÃO PAULO
CUIDANDO DE GENTE
Pode
aplaudir
que a
Orquestra
é sua
SALA SÃO PAULO
Patrocínio das séries Jacarandá e Jequitibá
Patrocínio das séries Imbuia e Carnaúba
Patrocínio da série Pau-Brasil
Patrocínio da série Araucária
Patrocínio da série Cedro
Apoio cultural ao Centro de Documentação Musical Maestro Eleazar de Carvalho
Patrocínio
Apoio cultural
Nossa Caixa
O banco do coração de São Paulo
Instituto 21
Embratel
CAMARGO CORRÊA
SEMP TOSHIBA
Safra
Instituto Cultural
VARIG
Brasil
Ripasa
UNIBANCO

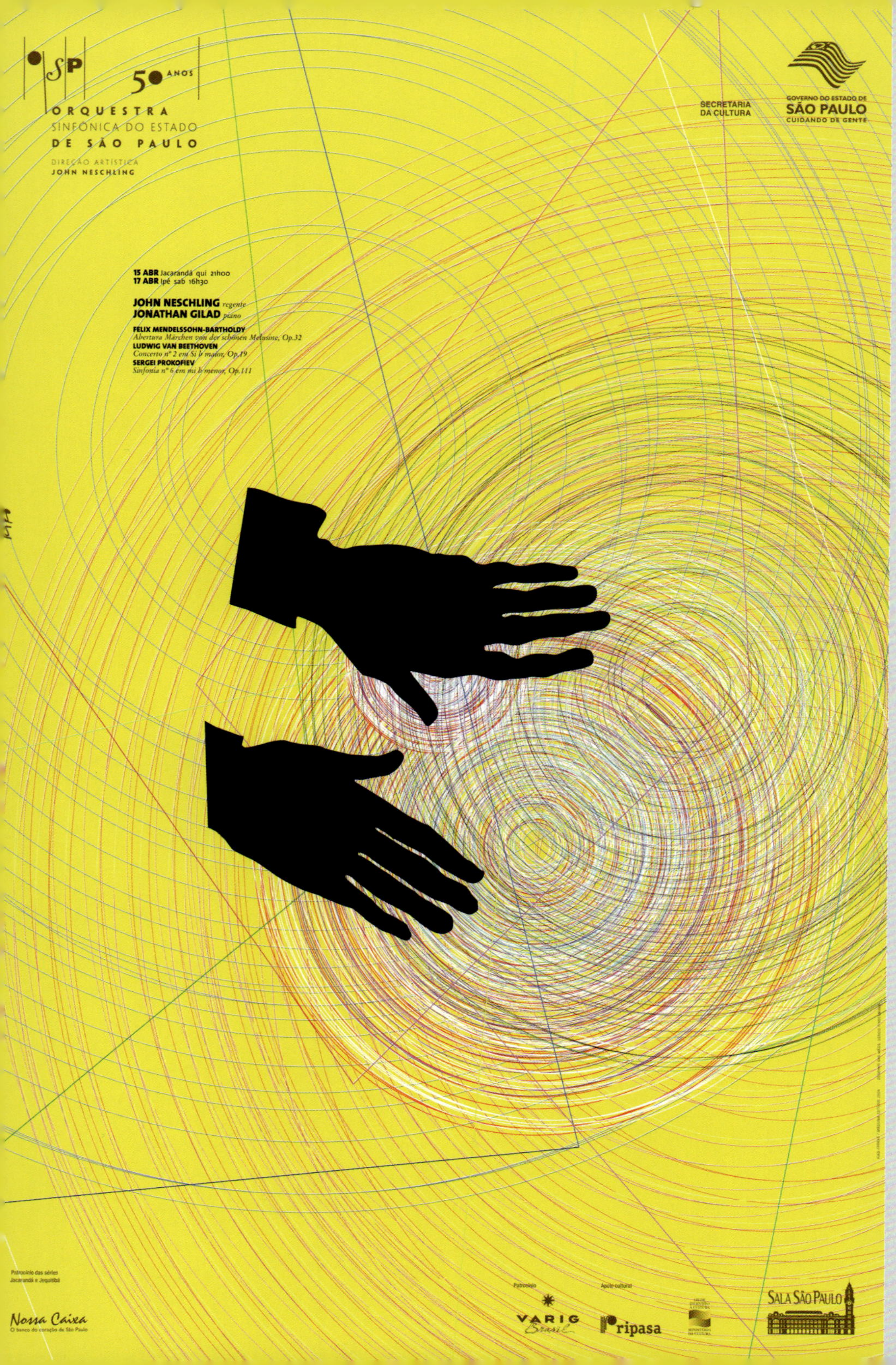
OSP
50 ANOS
ORQUESTRA
SINFÔNICA DO ESTADO
DE SÃO PAULO
DIREÇÃO ARTÍSTICA
JOHN NESCHLING
SECRETARIA
DA CULTURA
GOVERNO DO ESTADO DE
SÃO PAULO
CUIDANDO DE GENTE
15 ABR Jacarandá qui 21h00
17 ABR Ipê sab 16h30
JOHN NESCHLING regente
JONATHAN GILAD piano
FELIX MENDELSSOHN-BARTHOLDY
Abertura Märchen von der schönen Melusine, Op.32
LUDWIG VAN BEETHOVEN
Concerto nº 2 em Si b maior, Op.19
SERGEI PROKOFIEV
Sinfonia nº 6 em mi b menor, Op.111
Patrocínio das séries
Jacarandá e Jequitibá
Nossa Caixa
O banco do coração de São Paulo
Patrocínio
VARIG
Brasil
Apoio cultural
Pripasa
SALA SÃO PAULO

OSESP 50 ANOS

ORQUESTRA SINFÔNICA DO ESTADO DE SÃO PAULO

DIREÇÃO ARTÍSTICA
JOHN NESCHLING

SECRETARIA DA CULTURA

GOVERNO DO ESTADO DE SÃO PAULO
RESPEITO PELAS PESSOAS

29 ABR Jacarandá quinta 21h00
01 MAI Ipê sábado 16h30

CARLOS KALMAR *regente*
FREDDY KEMPF *piano*

LUDWIG VAN BEETHOVEN
Concerto nº 4 em Sol maior, Op.58
EDWARD ELGAR
Sinfonia nº 1 em Lá b maior, Op.55

30 ABR Araucária sexta 21h00
02 MAI Jatobá domingo 17h00

ORQUESTRA DE CÂMARA
CLÁUDIO CRUZ *regente*
LIUBA KLEVTSOVA *harpa*

MAURICE RAVEL
Introdução e Allegro
HENRIQUE OSWALD
Minueto
CLAUDE DEBUSSY
Danças sacras e profanas
EDINO KRIEGER
Andante para Cordas
DMITRI SHOSTAKOVICH
Sinfonia para Cordas (Quarteto nº 8)

OSP 50 ANOS
ORQUESTRA
SINFÔNICA DO ESTADO
DE SÃO PAULO
DIREÇÃO ARTÍSTICA
JOHN NESCHLING
SECRETARIA
DA CULTURA
GOVERNO DO ESTADO DE
SÃO PAULO
RESPEITO PELAS PESSOAS
PODE
APLAUDIR
QUE A
ORQUESTRA
É SUA
SALA SÃO PAULO
Patrocínio da série Araucária
Patrocínio da série Pau-Brasil
Patrocínio
Apoio cultural ao Centro
de Documentação Musical
Maestro Eleazar de Carvalho
Apoio cultural
Nossa Caixa
CAMARGO CORRÊA
Instituto 21 Embratel
SEMP TOSHIBA
VARIG Brasil
Safra Instituto Cultural
ripasa
UNIBANCO
Prefeitura do Município de São Paulo
Secretaria Municipal da Cultura

ORQUESTRA SINFÔNICA DO ESTADO DE SÃO PAULO
50 ANOS
DIREÇÃO ARTÍSTICA
JOHN NESCHLING
SECRETARIA DA CULTURA
GOVERNO DO ESTADO DE SÃO PAULO
RESPEITO PELAS PESSOAS
10 junho/Carnaúba/quinta 21h00
12 junho/Imbuia/Sábado/16h30
REGENTE
KRZYSZTOF PENDERECKI
IZABELLA KLOSINSKA/SOPRANO
JADWIGA RAPPE/CONTRALTO
RYSZARD MINKIEWICZ/TENOR
ROMUALD TESAROWICZ/BAIXO
CORO DA OSESP
KRZYSZTOF PENDERECKI
Réquiem polonês
VARIG
ripasa
SALA SÃO PAULO

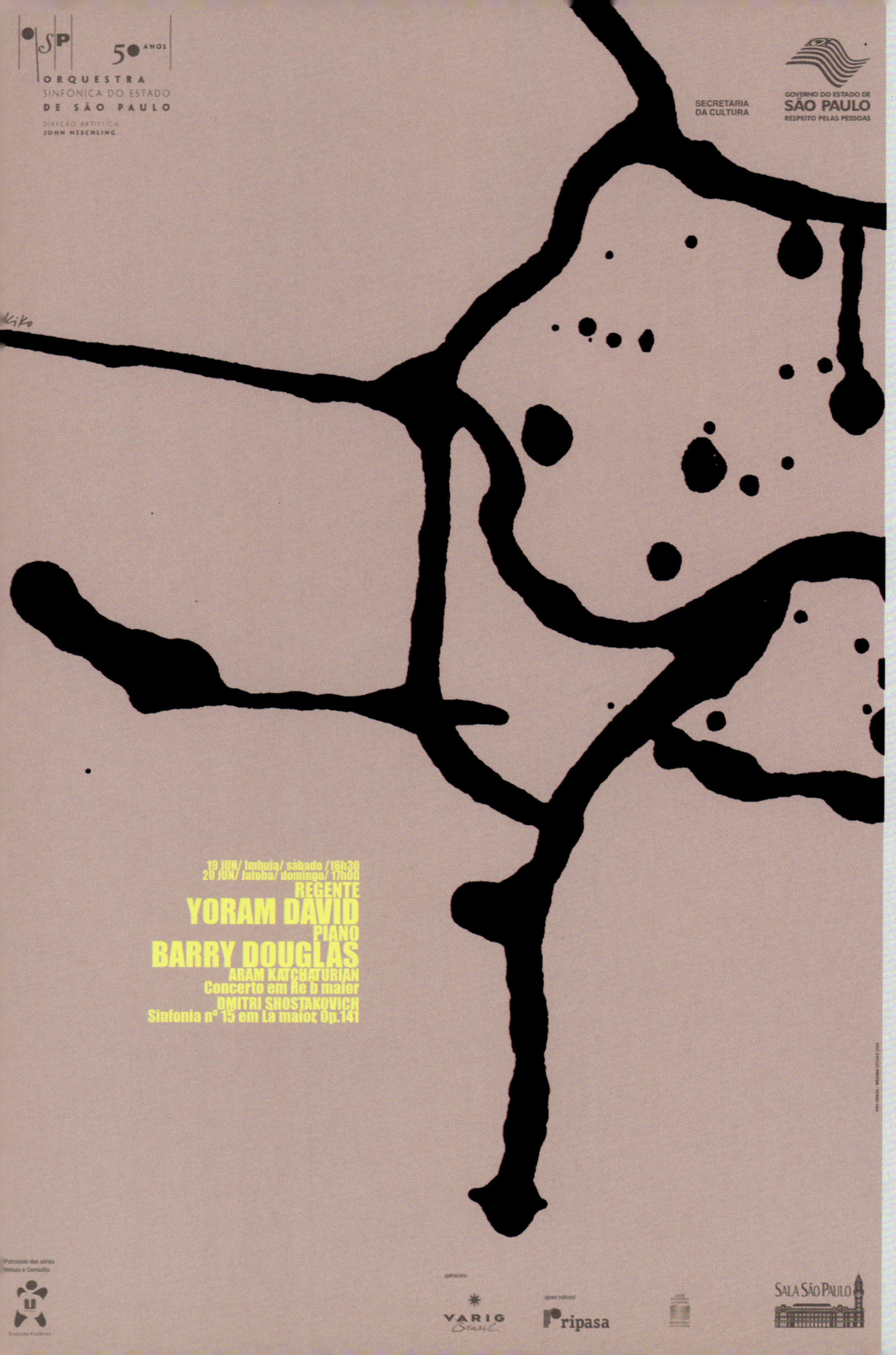
50 ANOS
ORQUESTRA
SINFÔNICA DO ESTADO
DE SÃO PAULO
DIREÇÃO ARTÍSTICA
JOHN NESCHLING
SECRETARIA
DA CULTURA
GOVERNO DO ESTADO DE
SÃO PAULO
RESPEITO PELAS PESSOAS
19 JUN/ Imbuia/ sábado /16h30
20 JUN/ Jatobá/ domingo/ 17h00
REGENTE
YORAM DAVID
PIANO
BARRY DOUGLAS
ARAM KATCHATURIAN
Concerto em Ré b maior
DMITRI SHOSTAKOVICH
Sinfonia nº 15 em Lá maior, Op.141
VARIG
Ripasa
SALA SÃO PAULO

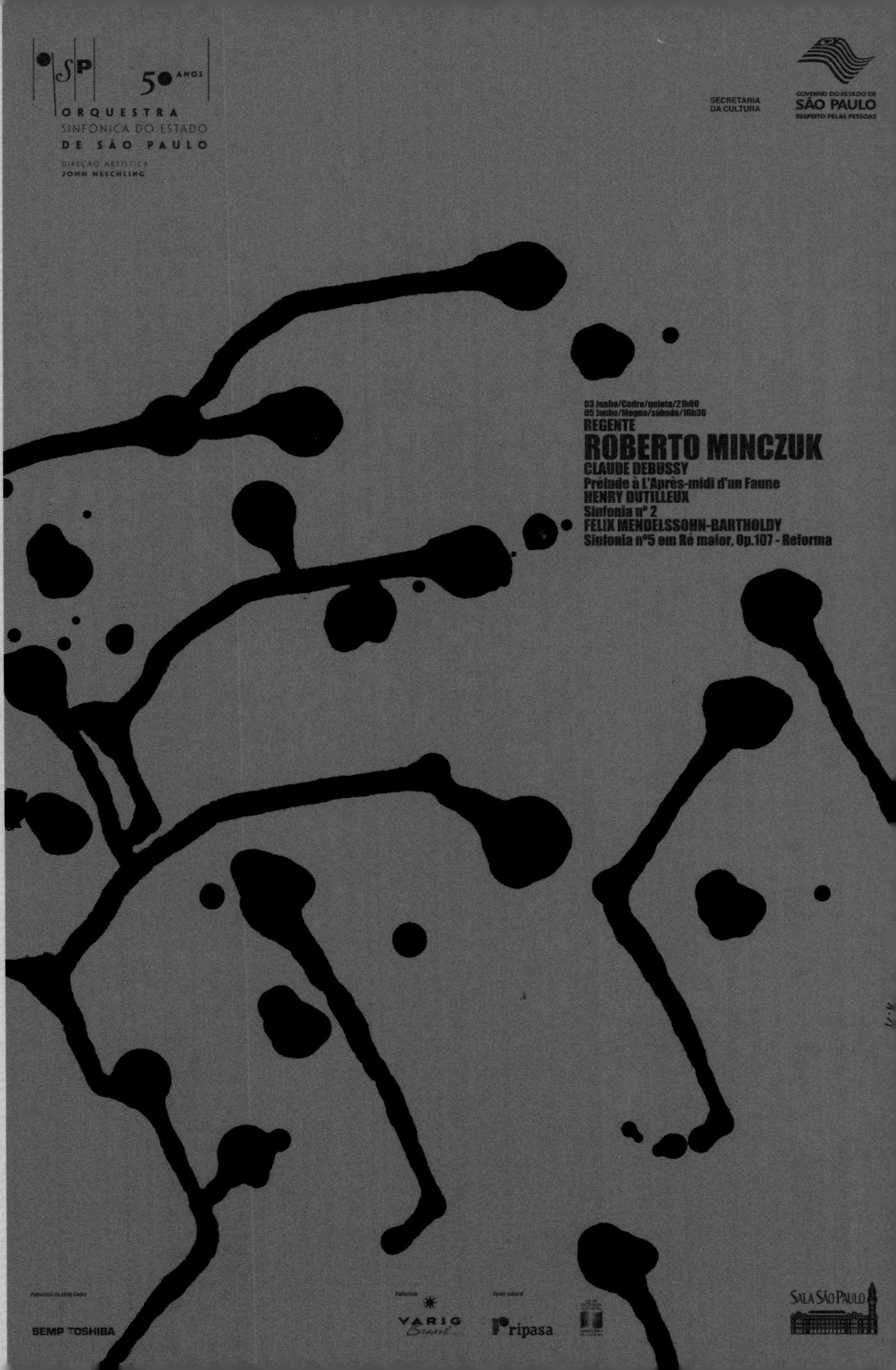
OSP 50 ANOS
ORQUESTRA
SINFÔNICA DO ESTADO
DE SÃO PAULO
DIREÇÃO ARTÍSTICA
JOHN NESCHLING
SECRETARIA
DA CULTURA
GOVERNO DO ESTADO DE
SÃO PAULO
RESPEITO PELAS PESSOAS
REGENTE
ROBERTO MINCZUK
CLAUDE DEBUSSY
Prélude à L'Après-midi d'un Faune
HENRY DUTILLEUX
Sinfonia nº 2
FELIX MENDELSSOHN-BARTHOLDY
Sinfonia nº5 em Ré maior, Op.107 - Reforma
SEMP TOSHIBA
VARIG
Brasil
ripasa
SALA SÃO PAULO

SECRETARIA
DA CULTURA
GOVERNO DO ESTADO DE
SÃO PAULO
RESPEITO PELAS PESSOAS
OSP 50 ANOS
ORQUESTRA
DE SÃO PAULO
JOHN NESCHLING
PODE APLAUDIR QUE A ORQUESTRA É SUA
Kiko
Nossa Caixa
Instituto 21 Embratel
SEMP TOSHIBA
VARIG
Safra
ripasa
UNIBANCO

OSP
50 ANOS
ORQUESTRA
SINFÔNICA DO ESTADO
DE SÃO PAULO
JOHN NESCHLING
SECRETARIA DA CULTURA
GOVERNO DO ESTADO DE SÃO PAULO
RESPEITO PELAS PESSOAS
01 JUL/Pau-Brasil/quinta/21h00
02 JUL/Araucária/sexta/21h00
03 JUL/Campos do Jordão/sábado/20h00
REGENTE
ROBERTO MINCZUK
PIANO
PABLO ROSSI
JOSEPH HAYDN
Concerto em Ré maior, Op.21 Hob XVIII:11
GUSTAV MAHLER
Sinfonia nº 5 em dó sustenido menor
CAMARGO CORRÊA
Instituto 21 Embratel
VARIG
ripasa
SALA SÃO PAULO

OSESP 50 ANOS
ORQUESTRA SINFÔNICA DO ESTADO DE SÃO PAULO
DIREÇÃO ARTÍSTICA JOHN NESCHLING
SECRETARIA DA CULTURA
GOVERNO DO ESTADO DE SÃO PAULO
RESPEITO PELAS PESSOAS
22 JUL/Cedro/quinta/21h00
23 JUL/Araucária/sexta/21h00
REGENTE
JOHN NESCHLING
TENOR
CHRISTOPH GENZ
TROMPA
DAVID PYATT
SOPRANO
GABRIELLA PACE
CONTRALTO
LUISA FRANCESCONI
BAIXO
STEPHAN GENZ
CORO DA OSESP
GIOACHINO ROSSINI
Abertura La Gazza ladra
BENJAMIN BRITTEN
Serenata para Tenor, Trompa e Cordas, Op.31
JOSEPH HAYDN
Missa in Tempore belli
Patrocínio da série Araucária
CAMARGO CORRÊA
Patrocínio da série Cedro
SEMP TOSHIBA
Patrocínio
VARIG Brasil
Apoio cultural
ripasa
SALA SÃO PAULO

ORQUESTRA
SINFÔNICA DO ESTADO
DE SÃO PAULO
JOHN NESCHLING
50 ANOS
SECRETARIA
DA CULTURA
GOVERNO DO ESTADO DE
SÃO PAULO
RESPEITO POR VOCÊ
PODE
APLAUDIR
QUE A
ORQUESTRA
E SUA
SALA SÃO PAULO
Patrocínio das séries
Jacarandá e Jequitibá
Patrocínio da
série Araucária
Patrocínio da
série Pau-Brasil
Patrocínio da
série Cedro
patrocínio
Apoio cultural
Nossa Caixa
O banco do coração de São Paulo
CAMARGO
CORRÊA
Instituto 21
Embratel
SEMP TOSHIBA
VARIG
Safra
Instituto Cultural
Loducca
ripasa
UNIBANCO
Hertz

OSESP 50 ANOS
ORQUESTRA SINFÔNICA DO ESTADO DE SÃO PAULO
DIREÇÃO ARTÍSTICA JOHN NESCHLING
SECRETARIA DA CULTURA
GOVERNO DO ESTADO DE SÃO PAULO
RESPEITO PELAS PESSOAS
rcedores no Pacaembu,
cada de 40.
homaz Farkas / Acervo IMS
PODE APLAUDIR QUE A ORQUESTRA É SUA
Kiko
SALA SÃO PAULO
Patrocínio das séries Jacarandá e Jequitibá
Nossa Caixa
Patrocínio das séries Imbuia e Carnaúba
Unilever
Patrocínio da série Araucária
CAMARGO CORRÊA
Patrocínio da série Pau-Brasil
Instituto 21 Embratel
Patrocínio da série Cedro
SEMP TOSHIBA
patrocínio
VARIG Brasil
Apoio cultural ao Centro de Documentação Musical Maestro Eleazar de Carvalho
Safra Instituto Cultural
apoio cultural
Hertz
LODUCCA22
Ripasa
UNIBANCO

OSP 50 anos
ORQUESTRA SINFÔNICA DO ESTADO DE SÃO PAULO
DIREÇÃO ARTÍSTICA JOHN NESCHLING
SECRETARIA DE ESTADO DA CULTURA
GOVERNO DO ESTADO DE SÃO PAULO
RESPEITO POR VOCÊ
09 DEZ Carnaúba quinta 21h00
11 DEZ Jequitibá sábado 16h30
REGENTE
JOHN NESCHLING
VIOLÕES
SERGIO & ODAIR ASSAD
VIOLINO
NADJA SALERNO-SONNENBERG
CORO DA OSESP
FAUSTINO XAVIER DO PRADO
Ladainha de Nossa Senhora
SERGIO ASSAD
Originis
ARNOLD SCHOENBERG
Pelleas et Melisande, Op.5 - Poema sinfônico
12 DEZ Ipê domingo 17h00
MUSICA DE CÂMARA
VIOLÕES
SÉRGIO & ODAIR ASSAD
VIOLINO
NADJA SALERNO-SONNENBERG
SERGIO ASSAD
Gypsy Songs
JOHANN SEBASTIAN BACH
Sonata BWV 1016
ASTOR PIAZZOLLA
Milonga per tre
Revirado
Invierno porteño
Escualo
ALBERTO GINASTERA
Tres Danzas argentinas
CHARLIE CHAPLIN
Medley (Gold rush and Limelight)
CLARICE ASSAD
Three Sketches
BELA BARTOK
Danças folclóricas romenas
Interior de café, Rio de Janeiro, década de 40, Thomaz Farkas
Patrocínio das séries Jacarandá e Jequitibá
Nossa Caixa
Patrocínio das séries Imbuia e Carnaúba
Unilever
patrocínio
VARIG Brasil
apoio cultural
Hertz
LODUCCA22
ripasa
SALA SÃO PAULO

...ueteiros (festa popular) c. 1943 Maceió - AL
...arcel Gautherot / Acervo IMS

OSP 50 ANOS

ORQUESTRA SINFÔNICA DO ESTADO DE SÃO PAULO

DIREÇÃO ARTÍSTICA
JOHN NESCHLING

SECRETARIA DA CULTURA

GOVERNO DO ESTADO DE SÃO PAULO
RESPEITO PELAS PESSOAS

02 DEZ Cedro quinta 21h00
04 DEZ Mogno sábado 16h30
ORQUESTRA DE CÂMARA
CLÁUDIO CRUZ *regente*
ARCANGELO CORELLI
Concerto grosso nº 8, Op.6 – Fatto per la Notte di Natale
GEORG F HÄNDEL
Música aquática

03 DEZ sexta 21h00
05 DEZ Jatobá domingo 17h00
JOHN NESCHLING *regente*
DONNA BROWN *soprano*
CAROLINA FARIA *contralto*
FERNANDO PORTARI *Tenor*
CORO DA OSESP
CORO INFANTIL DA OSESP
DMITRI SHOSTAKOVICH
Tahiti Trot, Op.16
LEONARD BERNSTEIN
Danças sinfônicas de West Side Story
BENJAMIN BRITTEN
Spring Symphony, Op.44

09 DEZ Carnaúba quinta 21h00
11 DEZ Jequitibá sábado 16h30
JOHN NESCHLING *regente*
SÉRGIO & ODAIR ASSAD *violões*
NADJA SALERNO-SONNENBERG *violino*
CORO DA OSESP
FAUSTINO XAVIER DO PRADO
Ladainha de Nossa Senhora
SÉRGIO ASSAD
Originis
ARNOLD SCHOENBERG
Pelléas et Mélisande, Op.5 - Poema sinfônico

12 DEZ Ipê domingo 17h00
MÚSICA DE CÂMARA
SÉRGIO & ODAIR ASSAD *violões*
NADJA SALERNO-SONNENBERG *violino*
SÉRGIO ASSAD
Gypsy Songs
JOHANN SEBASTIAN BACH
Sonata BWV 1016
ASTOR PIAZZOLLA
Milonga per tre
Revirado
Invierno porteño
Escualo
ALBERTO GINASTERA
Tres Danzas argentinas
CHARLIE CHAPLIN
Medley (Gold rush and Limelight)
CLARICE ASSAD
Three Sketches
BÉLA BARTÓK
Danças folclóricas romenas

16 DEZ quinta 21h00
17 DEZ sexta 21h00
18 DEZ sábado 16h30
ROBERTO MINCZUK *regente*
LUCIANA SOUZA *cantora*
BANDA MANTIQUEIRA
ZEQUINHA DE ABREU / PROVETA
Tico-tico no Fubá
WALDIR AZEVEDO / LAÉRCIO DE FREITAS
Brasileirinho
ARY BARROSO / LAÉRCIO DE FREITAS
Aquarela do Brasil
JOÃO BOSCO / PROVETA
Prêt-à-porter de Tafetá
Linha de Passe
JOHN NESCHLING / EDSON ALVES
Olha a Lua
JACOB DO BANDOLIM
Doce de Coco
Assanhado

Fila de ônibus no Vale do Anhangabaú, década de 50. Alice Brill / Acervo IMS

Além dos concertos da Osesp, você assiste em dezembro na Sala São Paulo

04 DEZ sábado 11h00
ASSOCIAÇÃO PARA CRIANÇAS COM TUMOR CEREBRAL - TUCCA
APRENDIZ DE MAESTRO
Quebra Nozes - Inédito

05 DEZ domingo 11h00
CONCERTO MATINAL
ORQUESTRA DE CÂMARA DA USP
CORAL DO ESTADO DE SÃO PAULO

INGRESSOS

Balcão mezanino	R$ 70,00
Camarote mezanino	R$ 52,00
Platéia central	R$ 48,00
Platéia elevada	R$ 38,00
Coro	R$ 26,00
Balcão superior	R$ 24,00
Camarote superior	R$ 22,00

CONCERTO MATINAL

Na bilheteria da Sala São Paulo	R$ 2,00
Nas unidades do Poupatempo	R$ 1,00

TUCCA

Setor I	R$ 30,00
Setor II	R$ 25,00
Setor III	R$ 20,00

TICKETMASTER — T 6846 6000

SALA SÃO PAULO

OSP
ORQUESTRA
SINFÔNICA DO ESTADO
DE SÃO PAULO
DIREÇÃO ARTÍSTICA
JOHN NESCHLING
SECRETARIA DE
ESTADO DA CULTURA
GOVERNO DO ESTADO DE
SÃO PAULO
RESPEITO POR VOCÊ
PODE
APLAUDIR
QUE A
ORQUESTRA
É SUA
SALA SÃO PAULO
Patrocínio das séries Sapucaia e Paineira
Nossa Caixa
Patrocínio da série Jacarandá
MOTOROLA
Patrocínio da série Pau-Brasil
SEMP TOSHIBA
Patrocínio da série Cedro
UNIBANCO
Patrocínio da série Araucária
CAMARGO CORRÊA
Patrocínio da temporada
VARIG Brasil
apoio cultural
Nestlé
Good Food, Good Life
Ford Credit
Hertz
Rent a Car
LODUCCA22

OSP
ORQUESTRA SINFÔNICA DO ESTADO DE SÃO PAULO
DIREÇÃO ARTÍSTICA
JOHN NESCHLING
SECRETARIA DE ESTADO DA CULTURA
GOVERNO DO ESTADO DE SÃO PAULO
RESPEITO POR VOCÊ
07 JUL CEDRO quinta 21h00
08 JUL SAPUCAIA sexta 21h00
REGENTE
JOHN NESCHLING
FLAUTA
SHARON BEZALY
JERONIMO GIMÉNEZ
La Boda de Luis Alonso
JOAQUIN RODRIGO
Concierto pastoral
WERNER EGK
Suite francesa segundo Rameau
GEORGES BIZET
Sinfonia nº1 em Dó maior
Patrocínio da série Sapucaia
Patrocínio da série Cedro
Patrocínio da temporada
apoio cultural
Nossa Caixa
UNIBANCO
VARIG Brasil
Nestlé
Good Food, Good Life
Hertz Rent a Car
LODUCCA22
SALA SÃO PAULO

OSP
ORQUESTRA
SINFÔNICA DO ESTADO
DE SÃO PAULO
DIREÇÃO ARTÍSTICA
JOHN NESCHLING
SECRETARIA DE ESTADO DA CULTURA
GOVERNO DO ESTADO DE
SÃO PAULO
RESPEITO POR VOCÊ
PODE
APLAUDIR
QUE A
ORQUESTRA
É SUA
SALA SÃO PAULO
Nossa Caixa
MOTOROLA
SEMP TOSHIBA
UNIBANCO
CAMARGO CORRÊA
VARIG
Hertz
Rent a Car
LODUCCA22

ORQUESTRA
SINFÔNICA DO ESTADO
DE SÃO PAULO
JOHN NESCHLING
SECRETARIA DE
ESTADO DA CULTURA
GOVERNO DO ESTADO DE
SÃO PAULO
RESPEITO POR VOCÊ
21 ABR CEDRO quinta 21h00
REGENTE
ROBERTO MINCZUK
CONTRALTO
NATHALIE STUTZMANN
CORO DA OSESP
CLAUDIO DE FREITAS
Fantasia sobre uma Cantiga de Ninar
JOHANNES BRAHMS
Rapsódia para Contralto, Op.53
SERGEI PROKOFIEV
Alexander Nevsky
UNIBANCO
CAMARGO CORRÊA
VARIG
Hertz
Rent a Car
LODUCCA22
SALA SÃO PAULO

OSP
ORQUESTRA SINFÔNICA DO ESTADO DE SÃO PAULO
DIREÇÃO ARTÍSTICA JOHN NESCHLING
SECRETARIA DE ESTADO DA CULTURA
GOVERNO DO ESTADO DE SÃO PAULO
RESPEITO POR VOCÊ
19 MAI CARNAÚBA quinta 21h00
20 MAI ARAUCÁRIA sexta 21h00
21 MAI IMBUIA sábado 16h30
REGENTE
FRANK SHIPWAY
VIOLONCELO
ANNE GASTINEL
RICHARD WAGNER
Os Mestres Cantores de Nurenberg: Abertura
ANTONIN DVORÁK
Concerto para Violoncelo em si menor, Op.104
EDWARD ELGAR
Variaçoes Enigma, Op.36
SALA SÃO PAULO

ORQUESTRA SINFÔNICA DO ESTADO DE SÃO PAULO
DIREÇÃO ARTÍSTICA JOHN NESCHLING
SECRETARIA DE ESTADO DA CULTURA
GOVERNO DO ESTADO DE SÃO PAULO
RESPEITO POR VOCÊ
26 MAI CEDRO quinta 20h00
28 MAI MOGNO sabado 16h30
30 MAI segunda 20h00
REGENTE
ROBERTO MINCZUK
SOPRANO
SIBYLLA RUBENS
CONTRALTO
INGEBORG DANZ
TENOR
JAMES TAYLOR
BAIXO-BARITONO
THOMAS BAUER
CORO DA OSESP
CORO JUVENIL DA OSESP
CORO INFANTIL DA OSESP
JOHANN SEBASTIAN BACH
A Paixao segundo Sao Mateus, BWV 244
E, assim, pintou um quadro de São Mateus calvo e
descalço, os pés sujos de terra,
agarrando desajeitadamente o enorme volume e franzindo
ansiosamente o cenho sob a tensão da incomum tarefa de escrever. Ao lado do santo, Caravaggio
pintou um jovem anjo que parece recém-chegado das alturas e que
gentilmente guia a mão do trabalhador como uma professora faz com a mão de uma criança.
Patrocínio da série Cedro
Patrocínio da temporada
apoio cultural
UNIBANCO
VARIG Brasil
Nestlé Good Food, Good Life
Ford Credit
Hertz Rent a Car
LODUCCA22
SALA SÃO PAULO

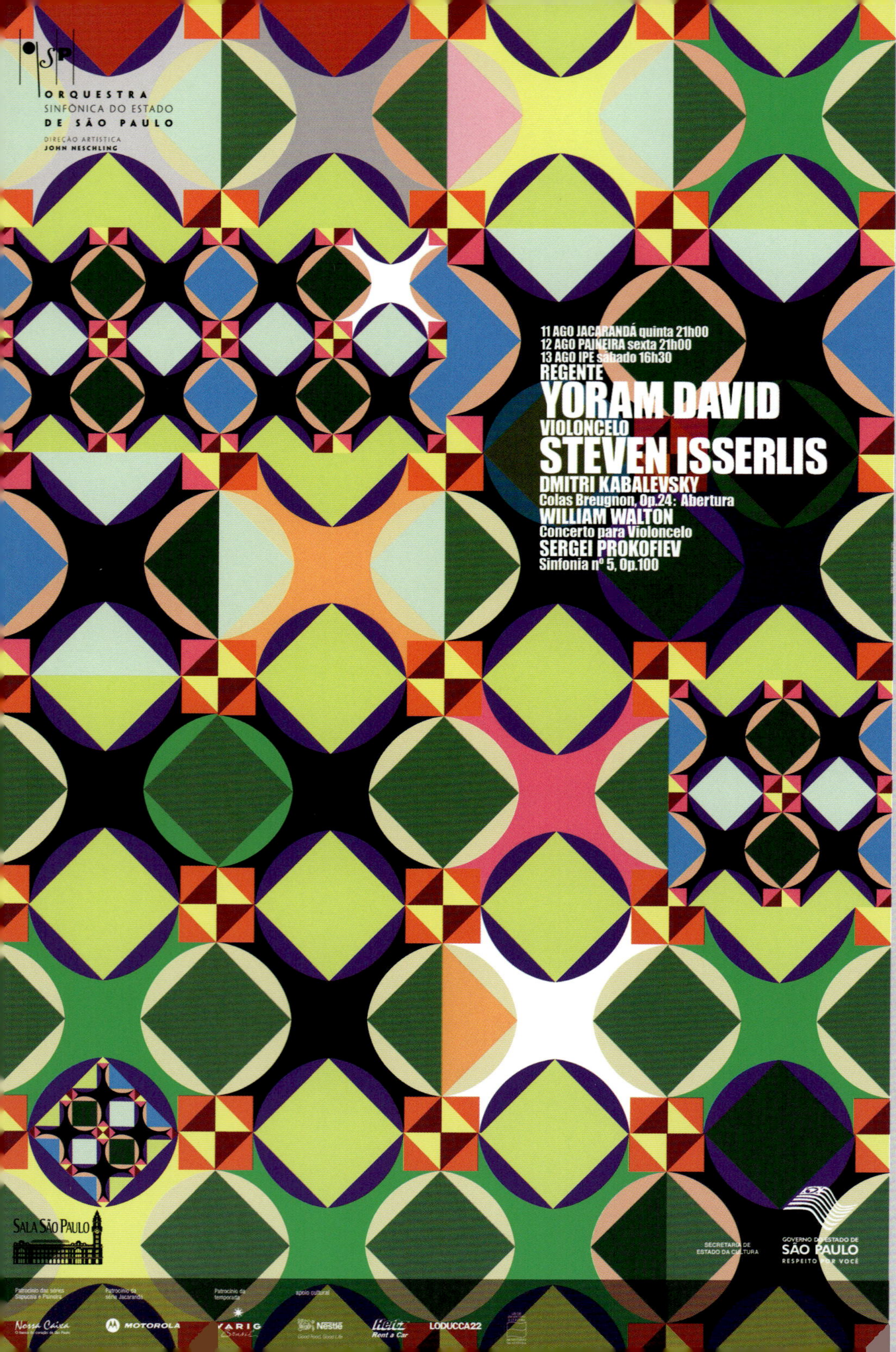
OSP
ORQUESTRA
SINFÔNICA DO ESTADO
DE SÃO PAULO
DIREÇÃO ARTÍSTICA
JOHN NESCHLING
11 AGO JACARANDÁ quinta 21h00
12 AGO PAINEIRA sexta 21h00
13 AGO IPÊ sábado 16h30
REGENTE
YORAM DAVID
VIOLONCELO
STEVEN ISSERLIS
DMITRI KABALEVSKY
Colas Breugnon, Op.24: Abertura
WILLIAM WALTON
Concerto para Violoncelo
SERGEI PROKOFIEV
Sinfonia nº 5, Op.100
SALA SÃO PAULO
SECRETARIA DE
ESTADO DA CULTURA
GOVERNO DO ESTADO DE
SÃO PAULO
RESPEITO POR VOCÊ
Patrocínio das séries
Patrocínio da
série Jacarandá
Patrocínio da
temporada
apoio cultural
Nossa Caixa
MOTOROLA
VARIG
Nestlé
Hertz
Rent a Car
LODUCCA22

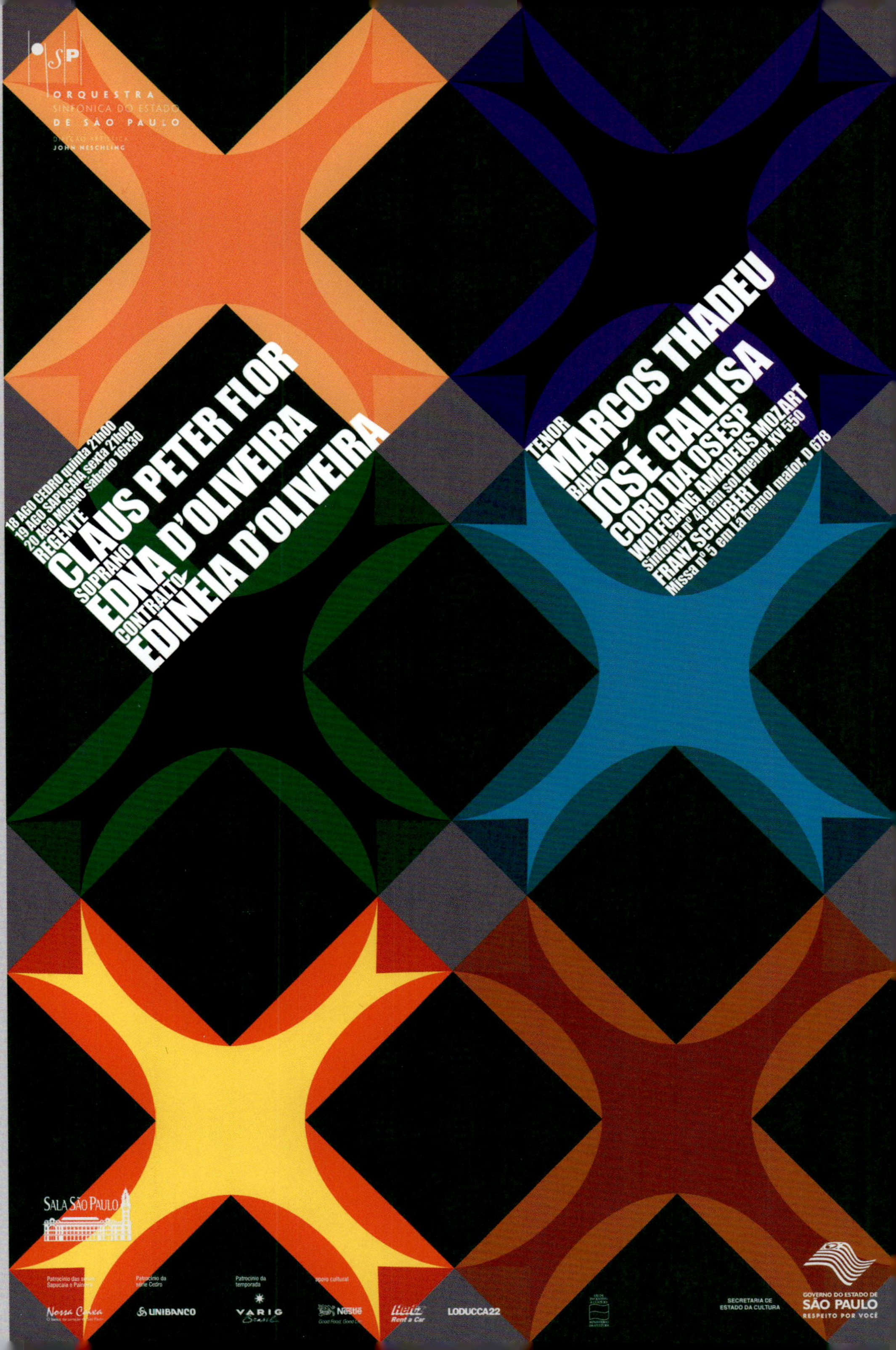
ORQUESTRA SINFÔNICA DO ESTADO DE SÃO PAULO
DIREÇÃO ARTÍSTICA
JOHN NESCHLING
18 AGO CEDRO quinta 21h00
19 AGO SAPUCAIA sexta 21h00
20 AGO MOGNO sábado 16h30
REGENTE
CLAUS PETER FLOR
SOPRANO
EDNA D'OLIVEIRA
CONTRALTO
EDINEIA D'OLIVEIRA
TENOR
MARCOS THADEU
BAIXO
JOSÉ GALLISA
CORO DA OSESP
WOLFGANG AMADEUS MOZART
Sinfonia nº 40 em sol menor, KV 550
FRANZ SCHUBERT
Missa nº 5 em Lá bemol maior, D 678
SALA SÃO PAULO
Patrocínio das séries Sapucaia e Paineira
Patrocínio da série Cedro
Patrocínio da temporada
apoio cultural
Nossa Caixa
UNIBANCO
VARIG
Nestlé
Hertz Rent a Car
LODUCCA22
SECRETARIA DE ESTADO DA CULTURA
GOVERNO DO ESTADO DE SÃO PAULO
RESPEITO POR VOCÊ

ORQUESTRA
SINFÔNICA DO ESTADO
DE SÃO PAULO
JOHN NESCHLING
25 AGO PAU-BRASIL quinta 21h00
26 AGO ARAUCARIA sexta 21h00
27 AGO JEQUITIBA sábado 16h30
REGENTE
CLAUS PETER FLOR
SOPRANO
HENRIETTE BONDE-HANSEN
WOLFGANG AMADEUS MOZART
A Flauta mágica, KV 620: Abertura
RICHARD STRAUSS
Freundliche Vision, Op.48 nº 1
Waldseligkeit, Op.49 nº 1
Mutteränderlei, Op.43 nº 2
Meinem Kinde, Op.37 nº 3
Ständchen, Op.17 nº 2
PIOTR I TCHAIKOVSKY
Sinfonia nº 6 em si menor, Op.74 - Patética
SALA SÃO PAULO
Patrocínio da série Pau-Brasil
Patrocínio da série Araucária
Patrocínio da temporada
apoio cultural
SEMP TOSHIBA
CAMARGO CORRÊA
VARIG
Nestlé
Ford Credit
Hertz Rent a Car
LODUCCA22
SECRETARIA DE ESTADO DA CULTURA
GOVERNO DO ESTADO DE SÃO PAULO
RESPEITO POR VOCÊ

OSESP 50 ANOS
ORQUESTRA SINFÔNICA DO ESTADO DE SÃO PAULO
DIREÇÃO ARTÍSTICA JOHN NESCHLING
SECRETARIA DA CULTURA
GOVERNO DO ESTADO DE SÃO PAULO
RESPEITO PELAS PESSOAS
Kiko
19 AGO Jacarandá quinta 21h00
21 AGO Ipê sábado 16h30
ORQUESTRA DE CÂMARA
REGENTE
CLÁUDIO CRUZ
MEZZO SOPRANO
ADRIANA CLIS
HEITOR VILLA-LOBOS
Quarteto nº 1
OTTORINO RESPIGHI
Il Tramonto
BENJAMIN BRITTEN
Phaedra, Op.93
JOSEF SUK
Serenata em Mi bemol maior, Op.6
20 AGO Araucária sexta 21h00
22 AGO Jatobá domingo 17h00
REGENTE
YORAM DAVID
WOLFGANG A MOZART
Sinfonia nº 38 em Ré maior, KV 504 - Praga
JEAN SIBELIUS
Sinfonia nº 2 em Ré maior, Op.43
Patrocínio das séries Jacarandá e Jequitibá
Nossa Caixa
O banco do coração de São Paulo
patrocínio
VARIG Brasil
apoio cultural
Loducca
Ripasa
Hertz
SALA SÃO PAULO

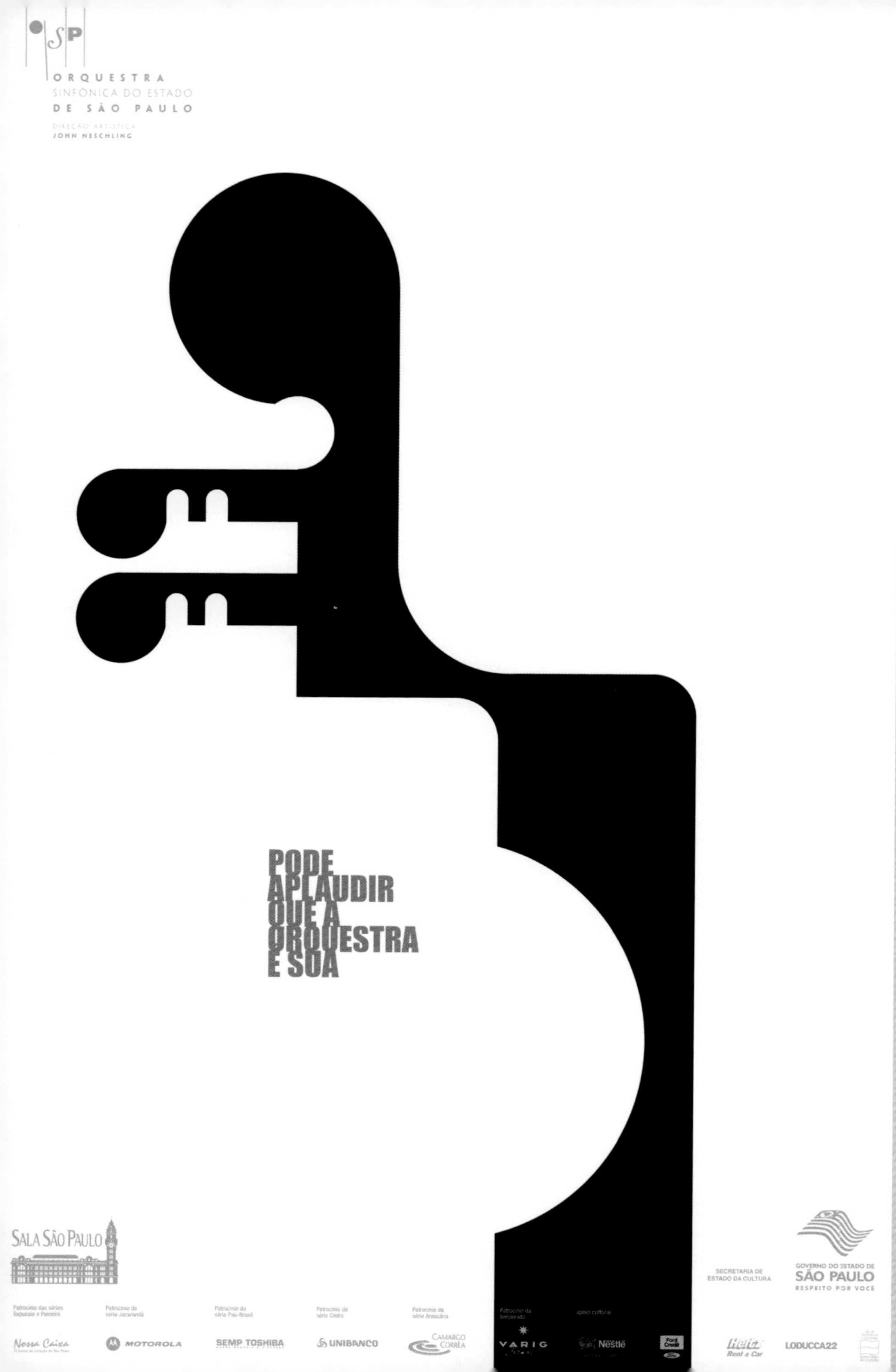
ORQUESTRA
SINFÔNICA DO ESTADO
DE SÃO PAULO
DIREÇÃO ARTÍSTICA
JOHN NESCHLING
PODE APLAUDIR QUE A ORQUESTRA É SUA
SALA SÃO PAULO
SECRETARIA DE ESTADO DA CULTURA
GOVERNO DO ESTADO DE SÃO PAULO
RESPEITO POR VOCÊ
Patrocínio das séries Sapucaia e Palmeira
Patrocínio da série Jacarandá
Patrocínio da série Pau-Brasil
Patrocínio da série Cedro
Patrocínio da série Araucária
Patrocínio da temporada
apoio cultural
Nossa Caixa
MOTOROLA
SEMP TOSHIBA
UNIBANCO
CAMARGO CORRÊA
VARIG
Nestlé
Ford Credit
Hertz Rent a Car
LODUCCA22

84

OSP
ORQUESTRA
SINFÔNICA DO ESTADO
DE SÃO PAULO
DIREÇÃO ARTÍSTICA
JOHN NESCHLING
08 SET JACARANDÁ quinta 21h00
09 SET SAPUCAIA sexta 21h00
10 SET IPÊ sábado 16h30
REGENTE
ALEXANDER
ANISSIMOV
NIKOLAI RIMSKY-KORSAKOV
A Lenda da Cidade invisível de Kitej: Suíte
DMITRI SHOSTAKOVICH
Sinfonia nº 11 em sol menor, Op.103 – O Ano de 1905
SALA SÃO PAULO
Patrocínio das séries Sapucaia e Paineira
Patrocínio da série Jacarandá
Nossa Caixa
MOTOROLA
SECRETARIA DE ESTADO DA CULTURA
GOVERNO DO ESTADO DE SÃO PAULO
RESPEITO POR VOCÊ

OSP
ORQUESTRA
SINFÔNICA DO ESTADO
DE SÃO PAULO
DIREÇÃO ARTÍSTICA
JOHN NESCHLING
01 SET EXTRA quinta 21h00
02 SET PAINEIRA sexta 21h00
03 SET MOGNO sábado 16h30
REGENTE
CLAUDIO CRUZ
VIOLINO
MIDORI
MARLOS NOBRE
Kabbalah, Op.96
SERGEI PROKOFIEV
Concerto nº 1 para Violino em Ré maior, Op.19
BELA BARTOK
Concerto para Orquestra
SALA SÃO PAULO
Patrocínio da série Paineira
Nossa Caixa
SECRETARIA DE ESTADO DA CULTURA
GOVERNO DO ESTADO DE SÃO PAULO
RESPEITO POR VOCÊ

ORQUESTRA
SINFÔNICA DO ESTADO
DE SÃO PAULO

DIREÇÃO ARTÍSTICA
JOHN NESCHLING

FUNDAÇÃO OSESP
ORGANIZAÇÃO SOCIAL DA CULTURA

15 jun quinta 21h00 PAU-BRASIL
16 jun sexta 21h00 SAPUCAIA
17 jun sábado 16h30 JEQUITIBÁ

Osmo Vänskä
regente

Antti Siirala
piano

LUDWIG VAN BEETHOVEN
Concerto nº 3 para Piano em dó menor, Op.37
Sinfonia nº 3 em Mi bemol maior, Op.55 - Eroica

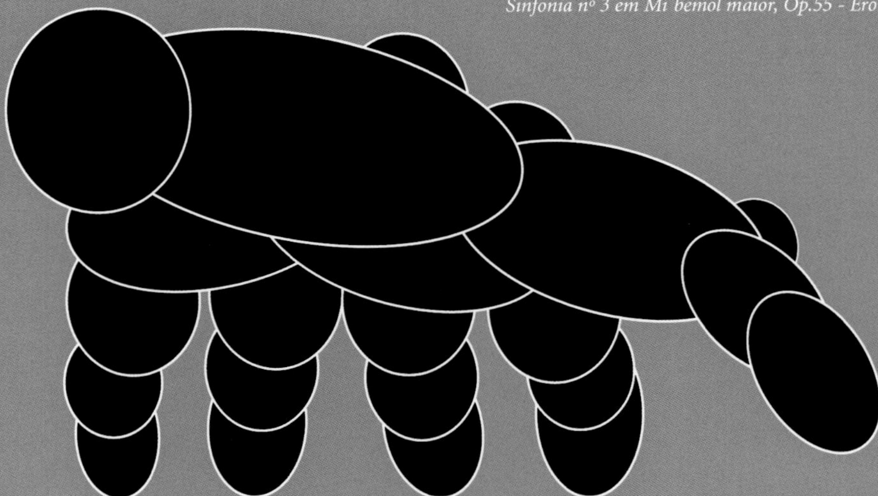

Kiko

SALA SÃO PAULO

CREDICARD Nossa Caixa UNIBANCO VARIG SÃO PAULO

OSP
ORQUESTRA
SINFÔNICA DO ESTADO
DE SÃO PAULO
JOHN NESCHLING
22 SET CEDRO quinta 21h00
23 SET ARAUCARIA sexta 21h00
24 SET MOGNO sábado 16h30
REGENTE
JOHN NESCHLING
LUDWIG VAN BEETHOVEN
Sinfonia nº 5 em dó menor, Op. 67
Sinfonia nº 7 em Lá maior, Op. 92
SALA SÃO PAULO
Patrocínio da série Cedro
Patrocínio da série Araucária
Patrocínio da temporada
apoio cultural
UNIBANCO
CAMARGO CORRÊA
VARIG
Nestlé
Good Food, Good Life
Ford Credit
Hertz
Rent a Car
LODUCCA22
SECRETARIA DE ESTADO DA CULTURA
GOVERNO DO ESTADO DE
SÃO PAULO
RESPEITO POR VOCÊ

OSP
ORQUESTRA
SINFÔNICA DO ESTADO
DE SÃO PAULO
JOHN NESCHLING
Kiko
15 SET CARNAÚBA quinta 21h00
17 SET IMBU… sábado 16h30
REGENTE
JOHN NESCHLING
LUDWIG VAN BEETHOVEN
A Consagração da Casa, Op.124
Sinfonia nº 6 em Fá maior, Op.68 – Pastoral
WOLFGANG AMADEUS MOZART
Sinfonia nº 25 em sol menor, KV 183
SALA SÃO PAULO
Patrocínio da temporada
apoio cultural
VARIG
Nestlé
Ford Credit
Hertz Rent a Car
LODUCCA22
SECRETARIA DE ESTADO DA CULTURA
GOVERNO DO ESTADO DE SÃO PAULO
RESPEITO POR VOCÊ

ORQUESTRA
SINFÔNICA DO ESTADO
DE SÃO PAULO
DIREÇÃO ARTÍSTICA
JOHN NESCHLING
29 SET CARNAÚBA quinta 21h00
30 SET PAINEIRA sexta 21h00
01 OUT IMBUIA sábado 16h30
REGENTE
LIBOR PESEK
PIANO
VALENTINA LISITSA
SERGEI RACHMANINOV
Concerto para Piano nº 1 em fá sustenido menor, Op.1
WOLFGANG AMADEUS MOZART
Sinfonia nº 41 em Dó maior, KV 551 - Júpiter
LEOS JANÁCEK
Taras Bulba - Rapsódia para Orquestra
SALA SÃO PAULO
Patrocínio das séries Sapucaia e Paineira
Patrocínio da temporada
apoio cultural
Nossa Caixa
VARIG
Nestlé
Good Food, Good Life
Hertz
Rent a Car
LODUCCA22
SECRETARIA DE ESTADO DA CULTURA
GOVERNO DO ESTADO DE
SÃO PAULO
RESPEITO POR VOCÊ

OSP 50 ANOS
ORQUESTRA
SINFÔNICA DO ESTADO
DE SÃO PAULO
DIREÇÃO ARTÍSTICA
JOHN NESCHLING
SECRETARIA
DA CULTURA
GOVERNO DO ESTADO DE
SÃO PAULO
CUIDANDO DE GENTE
18 MAR JACARANDÁ QUI 21H00
20 MAR IPÊ SÁB 16H30
JOHN NESCHLING regente
GÉRARD CAUSSÉ viola
HECTOR BERLIOZ
Harold en Italie, Op.16
LUDWIG VAN BEETHOVEN
Sinfonia nº 2 em Ré maior, Op.36
Nossa Caixa
O banco do coração de São Paulo
patrocínio
VARIG Brasil
apoio cultural
ripasa
SALA SÃO PAULO

ORQUESTRA
SINFÔNICA DO ESTADO
DE SÃO PAULO
DIREÇÃO ARTÍSTICA
JOHN NESCHLING
27 OUT CEDRO quinta 21h00
29 OUT MOGNO sábado 16h30
REGENTE
JOHN NESCHLING
PIANO
ILAN RECHTMAN
WOLFGANG AMADEUS MOZART
Concerto para Piano nº 20 em ré menor, KV 466
PIOTR I TCHAIKOVSKY
Sinfonia nº 3 em Ré maior, Op.29 - Polonesa
SALA SÃO PAULO
Patrocínio da série Cedro
Patrocínio da temporada
apoio cultural
UNIBANCO
VARIG
NESTLÉ
Hertz Rent a Car
LODUCCA22
SECRETARIA DE ESTADO DA CULTURA
GOVERNO DO ESTADO DE SÃO PAULO
RESPEITO POR VOCÊ

ORQUESTRA
SINFÔNICA DO ESTADO
DE SÃO PAULO
DIREÇÃO ARTÍSTICA
JOHN NESCHLING
FUNDAÇÃO OSESP
ORGANIZAÇÃO SOCIAL DA CULTURA
PODE
APLAUDIR
QUE A
ORQUESTRA
É SUA
SALA SÃO PAULO
Patrocínio das séries Sapucaia e Palmeira
Patrocínio da série Jacarandá
Patrocínio da série Pau-Brasil
Patrocínio da série Cedro
Patrocínio da série Araucária
Patrocínio da temporada
apoio cultural
Nossa Caixa
MOTOROLA
SEMP TOSHIBA
UNIBANCO
CAMARGO CORRÊA
VARIG Brasil
Nestlé
Good Food, Good Life
Hertz
Rent a Car
LODUCCA22

ORQUESTRA
SINFÔNICA DO ESTADO
DE SÃO PAULO
DIREÇÃO ARTÍSTICA
JOHN NESCHLING
24 NOV JACARANDÁ quinta 21h00
25 NOV ARAUCÁRIA sexta 21h00
26 NOV IPÊ sábado 16h30
REGENTE
JUANJO MENA
VIOLINO
ANDRÉS CÁRDENES
CORO DA OSESP
LUDWIG VAN BEETHOVEN
Concerto em Ré maior, Op.61
MAURICE RAVEL
Daphnis et Chloé – Suítes nºs 1 e 2
SALA SÃO PAULO
Patrocínio da série Jacarandá
Patrocínio da série Araucária
Patrocínio da temporada
apoio cultural
MOTOROLA
CAMARGO CORRÊA
VARIG
Nestlé
Good Food, Good Life
Ford Credit
Hertz
Rent a Car
LODUCCA22
SECRETARIA DE ESTADO DA CULTURA
GOVERNO DO ESTADO DE
SÃO PAULO
RESPEITO POR VOCÊ

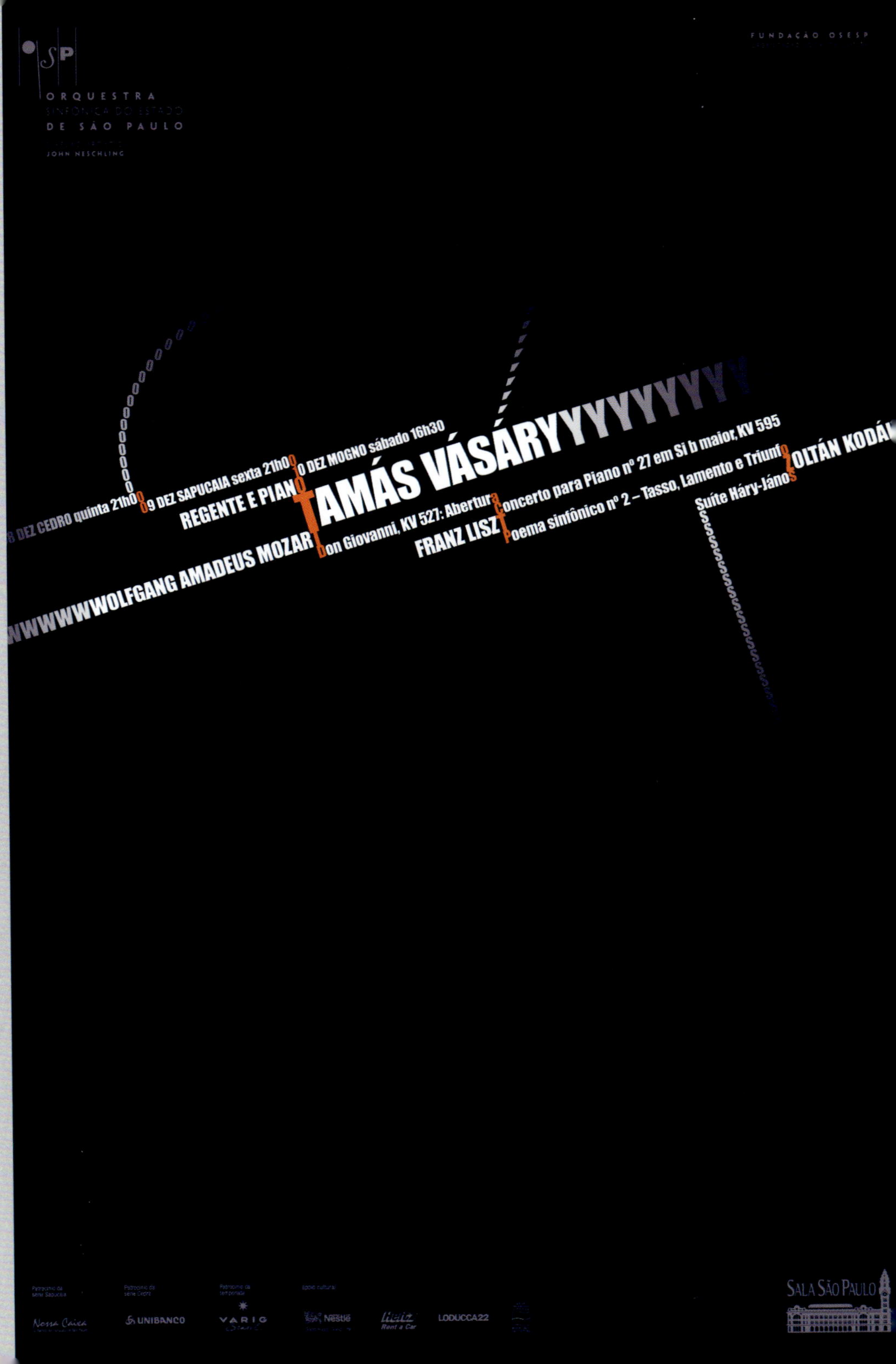
FUNDAÇÃO OSESP
ORQUESTRA
SINFÔNICA DO ESTADO
DE SÃO PAULO
JOHN NESCHLING
8 DEZ CEDRO quinta 21h00
09 DEZ SAPUCAIA sexta 21h00
10 DEZ MOGNO sábado 16h30
REGENTE E PIANO
TAMÁS VÁSÁRYYYYYYYY
WWWWWWOLFGANG AMADEUS MOZART
Don Giovanni, KV 527: Abertura
Concerto para Piano nº 27 em Si b maior, KV 595
FRANZ LISZT
Poema sinfônico nº 2 – Tasso, Lamento e Triunfo
ZOLTÁN KODÁ
Suíte Háry-János
UNIBANCO
VARIG
Nestlé
Hertz Rent a Car
LODUCCA22
SALA SÃO PAULO

ORQUESTRA
SINFÔNICA DO ESTADO
DE SÃO PAULO
DIREÇÃO ARTÍSTICA
JOHN NESCHLING
06 OUT PAU-BRASIL quinta 21h00
07 OUT SAPUCAIA sexta 21h00
08 OUT JEQUITIBÁ sábado 16h30
REGENTE
HEINZ HOLLIGER
FLAUTA
FELIX RENGGLI
HEINZ HOLLIGER
Duas Transcrições de Liszt para grande Orquestra
Tõrm-Musik para Flauta solo,
pequena Orquestra e Gravador
BERND ALOIS ZIMMERMANN
Alagoana
SALA SÃO PAULO
Patrocínio das séries Sapucaia e Paineira
Patrocínio da série Pau-Brasil
Patrocínio da temporada
apoio cultural
Nossa Caixa
SEMP TOSHIBA
VARIG Brasil
Nestlé
Good Food, Good Life
Hertz
Rent a Car
LODUCCA22
SECRETARIA DE ESTADO DA CULTURA
GOVERNO DO ESTADO DE
SÃO PAULO
RESPEITO POR VOCÊ

OSP
ORQUESTRA
SINFÔNICA DO ESTADO
DE SÃO PAULO
DIREÇÃO ARTÍSTICA
JOHN NESCHLING
20 OUT JACARANDÁ quinta 21h00
21 OUT ARAUCÁRIA sexta 21h00
22 OUT IPÊ sábado 16h30
REGENTE
JOHN NESCHLING
FLAUTA
ANDRÁS ADORJAN
ANDRZEJ PANUFNIK
Abertura heróica
FELIX MENDELSSOHN-BARTHOLDY
Transcrição para Flauta do Concerto para Violino, Op.64
DMITRÍ SHOSTAKOVICH
Sinfonia nº 4 em dó menor, Op.43
SALA SÃO PAULO
Patrocínio da série Jacarandá
MOTOROLA
Patrocínio da série Araucária
CAMARGO CORRÊA
Patrocínio da temporada
VARIG Brasil
apoio cultural
Nestlé
Ford Credit
Hertz Rent a Car
LODUCCA22
SECRETARIA DE ESTADO DA CULTURA
GOVERNO DO ESTADO DE SÃO PAULO
RESPEITO POR VOCÊ

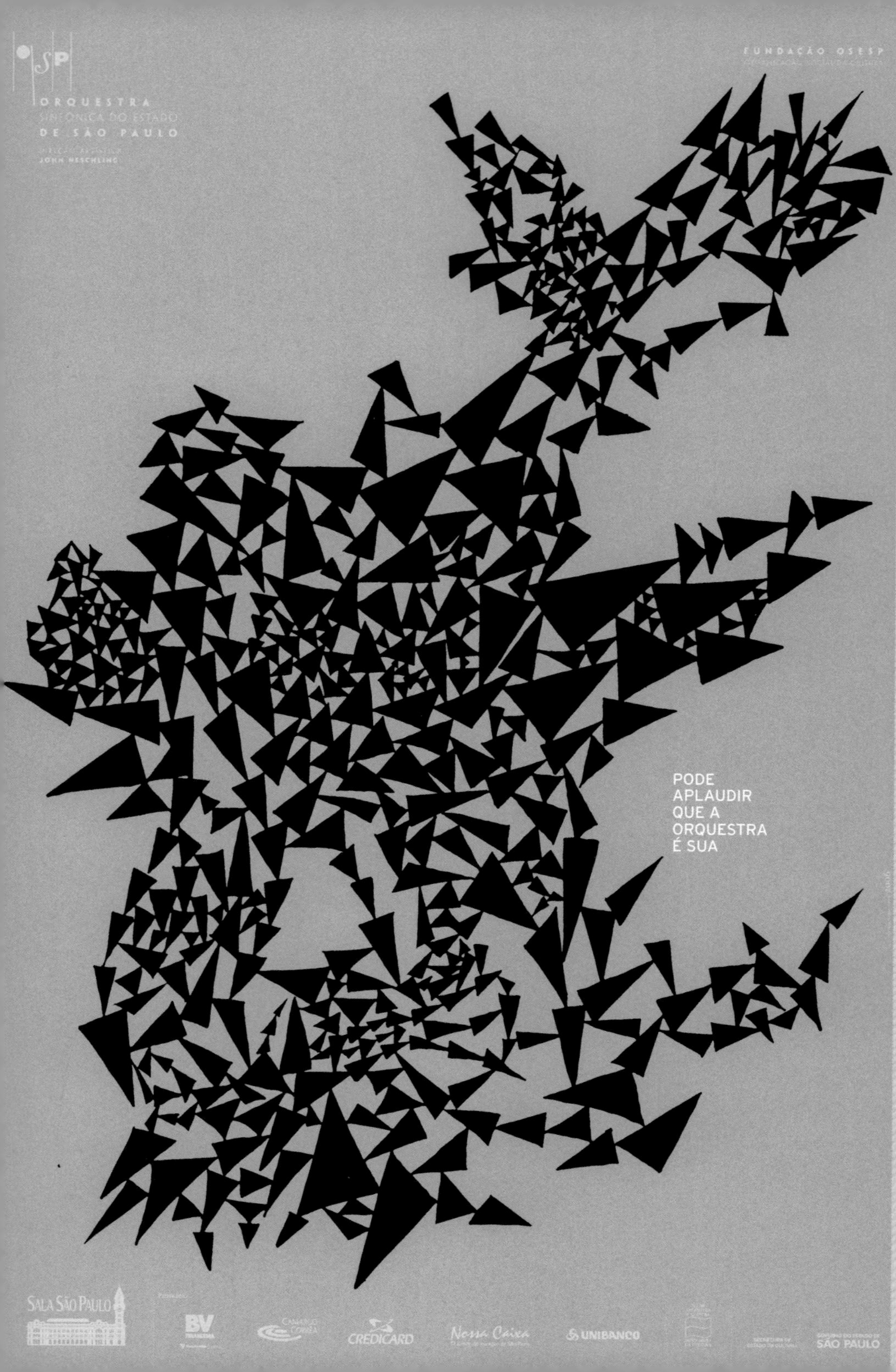
OSP
ORQUESTRA
SINFÔNICA DO ESTADO
DE SÃO PAULO
JOHN NESCHLING
FUNDAÇÃO OSESP
PODE
APLAUDIR
QUE A
ORQUESTRA
É SUA
SALA SÃO PAULO

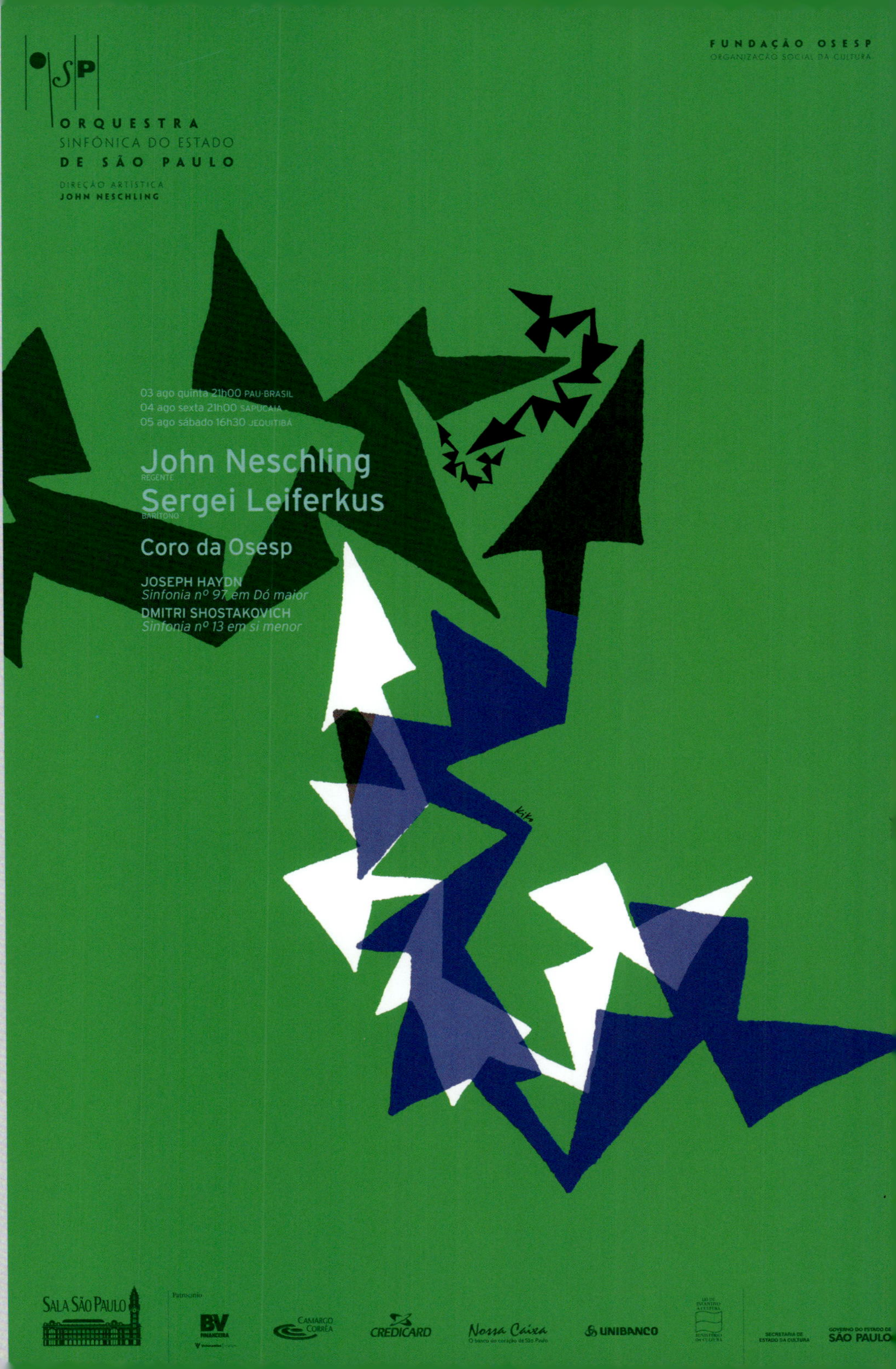
FUNDAÇÃO OSESP
ORGANIZAÇÃO SOCIAL DA CULTURA
ORQUESTRA
SINFÔNICA DO ESTADO
DE SÃO PAULO
DIREÇÃO ARTÍSTICA
JOHN NESCHLING
03 ago quinta 21h00 PAU-BRASIL
04 ago sexta 21h00 SAPUCAIA
05 ago sábado 16h30 JEQUITIBÁ
John Neschling
REGENTE
Sergei Leiferkus
BARÍTONO
Coro da Osesp
JOSEPH HAYDN
Sinfonia nº 97 em Dó maior
DMITRI SHOSTAKOVICH
Sinfonia nº 13 em si menor
SALA SÃO PAULO
Patrocínio
CREDICARD
Nossa Caixa
UNIBANCO
SÃO PAULO

OSP
ORQUESTRA
SINFÔNICA DO ESTADO
DE SÃO PAULO
JOHN NESCHLING
FUNDAÇÃO OSESP
08 jun quinta 21h00 CARNAÚBA
09 jun sexta 21h00 PAINEIRA
10 jun sábado 16h30 IMBUIA
Kirill Karabits
regente
Kuba Jakowicz
violino
CORO DA OSESP
FELIX MENDELSSOHN-BARTHOLDY
A Gruta de Fingal
MIECZYSLAW KARLOWICZ
Concerto para Violino em Lá maior, Op.8
JOHANNES BRAHMS
Gesang der Parzen, Op.89
Nänie, Op.82
Canção do Destino, Op.54
11 jun domingo 17h00 SÉRIE DE CÂMARA
Wagner Polistchuk
regente
CORO DA OSESP
IGOR STRAVINSKY
Concerto em Mi bemol maior – Dumbarton Oaks
AARON COPLAND
Appalachian Spring: Suíte para 13 instrumentos
HEITOR VILLA-LOBOS
Choros nº 3 – Pica-pau
YANNIS XENAKIS
Persephassa
SALA SÃO PAULO
Patrocínio
BV FINANCEIRA
CAMARGO CORRÊA
CREDICARD
Nossa Caixa
UNIBANCO
VARIG
GOVERNO DO ESTADO DE SÃO PAULO
RESPEITO POR VOCÊ

ORQUESTRA SINFÔNICA DO ESTADO DE SÃO PAULO

DIREÇÃO ARTÍSTICA
JOHN NESCHLING

FUNDAÇÃO OSESP
ORGANIZAÇÃO SOCIAL DA CULTURA

22 jun quinta 21h00 CEDRO
23 jun sexta 21h00 ARAUCÁRIA
24 jun sábado 16h30 MOGNO

John Neschling
regente

Iwona Hossa
soprano

Izabella Klosinska
soprano

Jadwiga Rappé
mezzo soprano

Adam Zdunikowski
tenor

Piotr Nowacki
baixo

Tadeu Aguiar
narrador

Coro da Osesp

WOLFGANG AMADEUS MOZART
Divertimento nº 7 em Ré maior, KV 205 (167a)

KRZYSZTOF PENDERECKI
Os sete Portões de Jerusalém

ORQUESTRA
SINFÔNICA DO ESTADO
DE SÃO PAULO

DIREÇÃO ARTÍSTICA
JOHN NESCHLING

FUNDAÇÃO OSESP
ORGANIZAÇÃO SOCIAL DA CULTURA

Além dos concertos da Osesp, você assiste na Sala São Paulo

18 abr terça 21h00
OSUSP - ORQUESTRA SINFÔNICA DA UNIVERSIDADE DE SÃO PAULO
LUIS GUSTAVO PETRI *regente*
ELISA FUKUDA *violino*
WOLFGANG AMADEUS MOZART
O Empresário: Abertura
ARAM KATCHATURIAN
Concerto para Violino
JOHANNES BRAHMS
Sinfonia nº 1

19 abr quarta 21h00
TUCCA - ORQUESTRA TUCCA PHILARMONICA
LUIZ FERNANDO MALHEIRO *regente*
CRISTINA GALLARDO-DÔMAS *soprano*
RICHARD WAGNER
O Navio fantasma: Abertura
WOLFGANG AMADEUS MOZART
Don Giovanni:Mi tradì quell'Alma ingrata
GIUSEPPE VERDI
Luisa Miller: Abertura
La Traviata: Addio del passato
JULES MASSENET
Thaïs: Meditação
Manon: Adieu notre petite table
CHARLES GONOUD
Fausto: Air des bijoux
STANISLAW MONIUSKO
Halka: Abertura
ALFREDO CATALANI
La Wally: Ebben ne andrò lontana
ANTONIO CARLOS GOMES
Maria Tudor: Prelúdio
ARRIGO BOITO
Mefistofele: L'alta notte in fondo al mar
GIACOMO PUCCINI
Manon Lescaut: Intermezzo
Manon Lescaut: Sola, perduta, abbandonata
Tosca: Vissi d'arte
Suor Angelica: Senza mamma
ANTONIO CARLOS GOMES
Il Guarany: Protofonia

Concertos da Osesp

06 abr quinta 21h00 CEDRO
07 abr sexta 21h00 ARAUCÁRIA
08 abr sábado 16h30 MOGNO
SYLVAIN GASANÇON *regente*
FABIO MARTINO *piano*
NIKOLAI MEDTNER
Concerto nº 2 para Piano em dó menor, Op.50
ANTONÍN DVORÁK
Sinfonia nº 8 em Sol maior, Op.88

09 abr domingo 17h00 SÉRIE DE CÂMARA
EMMANUELE BALDINI *violino*
CORO DE CÂMARA DA OSESP
NAOMI MUNAKATA *regente*
ANTONIO VIVALDI
L'Estro armonico
Concerto RV 310 Op.3/3 para Violino em sol menor
Concerto RV 549 Op.3/1 para quatro Violinos em Ré maior
Concerto RV 550 Op.3/4 para quatro Violinos em mi menor
Concerto RV 578 Op.3/2 para dois Violinos e Violoncelo em sol menor
JOHANN SEBASTIAN BACH
Motetos para Coro e Contínuo
Singet dem Herrn ein neues Lied, BWV 225
Der Geist hilft unser Schwachheit auf, BWV 226

13 abr quinta 21h00 JACARANDÁ
15 abr sábado 16h30 IPÊ
17 abr segunda 20h00 PEQUIÁ
IRA LEVIN *regente*
VIOLETA URMANA *soprano*
STEPHEN GOULD *tenor*
STEPHEN BRONK *baixo*
HUGO WOLF
Penthesilea – Poema sinfônico segundo Heinrich von Kleist
RICHARD WAGNER
A Valquíria: I Ato

20 abr quinta 21h00 CARNAÚBA
21 abr sexta 21h00 PAINEIRA
22 abr sábado 16h30 IMBUIA
LEIF SEGERSTAM *regente*
JEAN SIBELIUS
Tapiola, Op.112
LEIF SEGERSTAM
Sinfonia nº 149 - "14,9,149:14,9...! = I feel, no, I feel so: Oh death, suffering...!"
(1ª audição mundial)
EINOJUHANI RAUTAVAARA
Cantus arcticus, Op.61 - Concerto para Pássaros e Orquestra
JEAN SIBELIUS
Sinfonia nº 7 em Dó maior, Op.105

27 abr quinta 21h00 PAU-BRASIL
28 abr sexta 21h00 SAPUCAIA
29 abr sábado 16h30 JEQUITIBÁ
JOHN NESCHLING *regente*
JEAN-GUIHEN QUEYRAS *violoncelo*
BENJAMIN BRITTEN
Sinfonia para Violoncelo e Orquestra, Op.68
PIOTR I. TCHAIKOVSKY
Sinfonia nº 1 em sol menor, Op.13 – Sonhos de Inverno

Programas Educacionais da Osesp

DESCUBRA A ORQUESTRA

Atividades na Osesp

03 abr segunda 14h00
10 abr segunda 14h00
Fazendo música na Osesp:
Para escolas estaduais inscritas nos eventos da Série 2 - 1ª a 3ª séries

Formação de professores

06 abr quinta
Workshop I: Educação musical e Música orquestral no Ensino fundamental II (Série 1)

07 abr sexta
08 abr sábado
Curso I: Educação musical e Música orquestral na Educação básica I (Séries 1 e 2)

20 abr quinta
Workshop II: Educação musical e Música orquestral no Ensino fundamental I (Série 2)

Formação de público

20 abr quinta 9h30
Ensaio geral aberto – Osesp
LEIF SEGERSTAM *regente*

24 abr segunda 9h30
Concerto didático – convidada: Osusp
CARLOS MORENO *regente*
WELLINGTON NOGUEIRA *ator*

24 abr segunda 14h00
Concerto didático – convidada: Ossa
FLAVIO FLORENCE *regente*

INGRESSOS

OSESP	
Plateia Central	[illegible]
Plateia Elevada	[illegible]
Balcão Mezanino	[illegible]
Camarote Mezanino	[illegible]
Coro	[illegible]
Balcão Superior	[illegible]
Camarote Superior	[illegible]

SÉRIE DE CÂMARA DA OSESP

Plateia	[illegible]
Mezanino	[illegible]

PROGRAMAS EDUCACIONAIS DA OSESP

OSUSP

Balcão Mezanino	[illegible]
C. Mezanino / Pl. Central	[illegible]
Plateia Elevada	[illegible]
Camarote Superior	[illegible]
Balcão Superior	[illegible]
Coro	[illegible]

TUCCA

Setor 1	[illegible]
Setor 2	[illegible]
Setor 3	[illegible]
Setor 4	[illegible]

Ticketmaster

03

OSP
ORQUESTRA
SINFÔNICA DO ESTADO
DE SÃO PAULO
DIREÇÃO ARTÍSTICA
JOHN NESCHLING
FUNDAÇÃO OSESP
ORGANIZAÇÃO SOCIAL DA CULTURA
Concertos da Osesp
04 mai quinta 21h00 CARNAÚBA
05 mai sexta 21h00 PAINEIRA
06 mai sábado 16h30 IMBUIA
JOHN NESCHLING regente
ALFREDO PERL piano
JOHANNES BRAHMS
Concerto nº 2 para Piano em Si b maior, Op.83
PIOTR I TCHAIKOVSKY
Sinfonia nº 2 em dó menor, Op.17 - Pequena Russa
11 mai quinta 21h00 CEDRO
12 mai sexta 21h00 ARAUCÁRIA
13 mai sábado 16h30 MOGNO
RONALD ZOLLMAN regente
EMMANUELE BALDINI violino
CORO DA OSESP
IGOR STRAVINSKY
Fogos de Artifício, Op.4
ALFREDO CASELLA
Concerto para Violino
GUSTAV HOLST
Os Planetas, Op.32
14 mai domingo 17h00 SÉRIE DE CÂMARA
JOHN NESCHLING regente
RICHARD STRAUSS
Sinfonia para Sopros em Mi b maior
Metamorfoses
18 mai quinta 21h00 PAU-BRASIL
19 mai sexta 21h00 SAPUCAIA
20 mai sábado 16h30 JEQUITIBÁ
ROGER EPPLE regente
BORIS BROVTSYN violino
LYDIA TEUSCHER soprano
IGOR STRAVINSKY
Concerto para Violino em Ré maior
GUSTAV MAHLER
Sinfonia nº 4 em Sol maior
25 mai quinta 21h00 CEDRO
26 mai sexta 21h00 ARAUCÁRIA
27 mai sábado 16h30 MOGNO
JOHN NESCHLING regente
LYDIA TEUSCHER soprano
ADRIANA CLIS mezzo soprano
MARCOS LIESENBERG tenor
SAVIO SPERANDIO baixo
CORO DA OSESP
JOSEPH HAYDN
As sete últimas Palavras do Redentor na Cruz
Programas Educacionais da Osesp
PROGRAMA DESCUBRA A ORQUESTRA
Formação de Professores
06 mai sábado 9h00 às 17h00
Curso I (módulo II): Educação musical e Música orquestral na Educação básica I (Séries 1 e 2)
11 mai quinta 8h30 às 17h30
III Workshop (ou Curso III): Educação musical e música orquestral no ensino fundamental I e II (Séries 1 e 2)
Formação de Público
11 mai quinta 9h30
Ensaio geral aberto – Osesp (exclusivo para 3ª e 4ª séries 9-10 anos de idade)
15 mai segunda 14h00
Concerto didático – convidada: OSSA (Série 1 – 11 a 14 anos)
18 mai quinta 9h30
Ensaio geral aberto – Osesp (Série 1 – 11 a 14 anos)
19 mai sexta 14h00
Ensaio geral aberto – convidada: TUCCA / Sinfonieta Fortíssima (Série 2 – 5 a 10 anos)
22 mai segunda 9h30
Concerto didático – convidada da Osesp: Banda de Concerto de Volta Redonda (Série 1 – 11 a 14 anos)
26 mai sexta 9h30
Concerto didático – convidada: Osesp (Série 2 – 5 a 10 anos)
Atividades na Osesp
08 mai segunda 14h00 às 15h30
22 mai segunda 14h00 às 15h30
Fazendo música na Osesp: Para escolas estaduais inscritas para os eventos da Série 2 - 1ª a 4ª séries
27 mai sábado 9h00 às 12h00
Gincana musical: Para escolas estaduais inscritas para os eventos da Série 2 - 1ª a 4ª séries
INGRESSOS
Além dos concertos da Osesp, você assiste na Sala São Paulo
08 mai segunda 21h00
MOZARTEUM BRASILEIRO
WDR-SINFONIEORCHESTER KÖLN
SEMYON BYCHKOV regente
SAYAKA SHOJI violino
ANTONÍN DVORÁK
Carnaval, Op.92: Abertura
ALEXANDER GLAZUNOV
Concerto para Violino em lá menor, Op.82
PIOTR I TCHAIKOVSKY
Sinfonia nº 5 em mi menor, Op.64
09 mai terça 21h00
MOZARTEUM BRASILEIRO
WDR-SINFONIEORCHESTER KÖLN
SEMYON BYCHKOV regente
SAYAKA SHOJI violino
ANTONÍN DVORÁK
Carnaval, Op.92: Abertura
ALEXANDER GLAZUNOV
Concerto para Violino em lá menor, Op.82
SERGEI RACHMANINOV
Danças sinfônicas, Op.45
17 mai quarta 21h00
OPSCS - ORQUESTRA FILARMÔNICA DE SÃO CAETANO DO SUL
ANTONIO CARLOS NEVES PINTO regente
RICHARD WAGNER
Tannhäuser: Abertura
DIMITRI SHOSTAKOVICH
Sinfonia nº 5 em ré menor, Op.47
20 mai sábado 11h00
TUCCA
JOÃO MAURÍCIO GALINDO regente
A Volta ao circo em dó menor e Dó maior
DMITRI KABALEVSKY
Suite Os Comediantes, Op.26
WOLFGANG A. MOZART
Divertimento
Réquiem: Lacrimosa
ANTONIO VIVALDI
Primavera: 1º movimento
RICHARD WAGNER
Lohengrin: Marcha nupcial
MILDRED E PATRICIA SMITH HILL
Parabéns a Você
FELIX MENDELSSOHN-BARTHOLDY
Sonho de uma Noite de Verão: Marcha nupcial
JOHANNES BHAMHS
Valsa Op.39 nº 15 em Lá maior: Canção de Ninar
LEO DELIBES
Ballet Copélia: Valsa
23 mai terça 21h00
OSUSP - ORQUESTRA SINFÔNICA DA UNIVERSIDADE DE SÃO PAULO
CARLOS MORENO regente
PATRÍCIA ENDO soprano
ADRIANA CLIS mezzo soprano
MARCOS THADEU tenor
CARLOS EDUARDO B. MARCOS baixo
CORAL COLLEGIUM MUSICUM
WOLFGANG A. MOZART
Réquiem, KV 626
27 mai sábado 21h00
TUCCA
MAXIM VENGEROV violino
IGOR LEVIT piano
WOLFGANG A. MOZART
Adágio em mi menor, KV 261
LUDWIG VAN BEETHOVEN
Sonata para Violino nº 7 em dó menor
SERGEI PROKOFIEV
Sonata para Violino nº 1 em fá menor, Op.80
DMITRI SHOSTAKOVICH
Dez prelúdios, Op.34 (arr. Tziganov)
30 mai terça 21h00
SOCIEDADE DE CULTURA ARTÍSTICA
ORQUESTRA FILARMÔNICA CHECA
GERD ALBRECHT regente
ELISABETH LEONSKAYA piano
ANTONÍN DVORÁK
Abertura, Op.93 - Otelo
LUDWIG VAN BEETHOVEN
Concerto para Piano nº 5 em Mi bemol maior Op.73 - Imperador
ANTONÍN DVORÁK
Sinfonia nº 9 em mi menor, Op.95 - Do novo Mundo
31 mai quarta 21h00
SOCIEDADE DE CULTURA ARTÍSTICA
ORQUESTRA FILARMÔNICA CHECA
GERD ALBRECHT regente
ELISABETH LEONSKAYA piano
GYÖRGY LIGETI
Lontano
ROBERT SCHUMANN
Concerto para Piano em lá menor, Op.54
ANTONÍN DVORÁK
Sinfonia nº 9 em mi menor, Op.95 - Do novo Mundo
SALA SÃO PAULO
Patrocínio
BV FINANCEIRA
CAMARGO CORRÊA
CREDICARD
Nossa Caixa
O banco do coração de São Paulo
UNIBANCO
SECRETARIA DE ESTADO DA CULTURA
GOVERNO DO ESTADO DE SÃO PAULO
RESPEITO POR VOCÊ

ORQUESTRA
SINFÔNICA DO ESTADO
DE SÃO PAULO
DIREÇÃO ARTÍSTICA
JOHN NESCHLING
FUNDAÇÃO OSESP
ORGANIZAÇÃO SOCIAL DA CULTURA
Concertos da Osesp
Programas Educacionais da Osesp
Concurso Internacional de Piano Villa-Lobos
CRONOGRAMA
Além dos concertos da Osesp, você assiste na Sala São Paulo
INGRESSOS
Kiko
2006
SALA SÃO PAULO
CREDICARD
Nossa Caixa
UNIBANCO
SÃO PAULO

ORQUESTRA SINFÔNICA DO ESTADO DE SÃO PAULO

DIREÇÃO ARTÍSTICA JOHN NESCHLING

FUNDAÇÃO OSESP
ORGANIZAÇÃO SOCIAL DA CULTURA

ESTI

Concertos da Osesp

07 set quinta 21h00 Pau-Brasil
08 set sexta 21h00 Sapucaia
09 set sábado 16h30 Jequitibá

ALAIN LOMBARD *regente*
FREDDY KEMPF *piano*
RICHARD STRAUSS
Don Juan, Op.20
PIOTR I. TCHAIKOVSKY
Concerto nº 2 para Piano em Sol maior, Op.44
WOLFGANG A. MOZART
Sinfonia nº 29 em Lá maior, KV 201

10 set domingo 17h00 Série de Câmara

EMMANUELE BALDINI *violino*
CORO DE CÂMARA DA OSESP
NAOMI MUNAKATA *regente*
JOHANN SEBASTIAN BACH
Moteto para Coro e Contínuo Jesu, meine Freude, BWV 227
ANTONIO VIVALDI
L'Estro armonico
Concerto RV 356 Op.3/6 para Violino em lá menor
Concerto RV 519 Op.3/5 para dois Violinos em Lá maior
Concerto RV 522 Op.3/8 para dois Violinos em lá menor
Concerto RV 580 Op.3/10 para quatro Violinos e Violoncelo em Fá maior

21 set quinta 20h00 Jacarandá
23 set sábado 16h30 Ipê
25 set segunda 20h00 Pequiá

JOHN NESCHLING *regente*
CARLO GUELFI *barítono (Michele / Gianni Schicchi)*
IZABELLA KLOSINSKA *soprano (Giorgetta)*
MICHELLE CANNICCIONI *soprano (Lauretta)*
GRACIELA ARAYA *contralto (Frugola/Zita)*
NICOLA ROSSI GIORDANO *tenor (Luigi)*
FELIPE ROJAS *tenor (Rinuccio)*
MARCOS TRADEU *tenor (Tinca)*
LUCIANO BOTELHO *tenor (Gherardo)*
DIOGENES RANDES *baixo (Talpa/Simone)*
EDNA D'OLIVEIRA *soprano (Nella)*
SAVIO SPERANDIO *baixo (Betto di Signa)*
MICHEL DE SOUZA *barítono (Marco)*
DENISE DE FREITAS *mezzo soprano (La Ciesca)*
MAURO WRONA *tenor (Mto Spinelloccio)*
FLAVIA KELE DE SOUZA *soprano (amante)*
JOCELYN MAROCCOLO *tenor (amante)*
FRANCISCO MEIRA *barítono (Amantio di Nicolao)*
MOISÉS TÉSSALO *baixo (Pinellino)*
SILAS DE OLIVEIRA *baixo (Guccio)*
ALAN DE OLIVEIRA *voz infantil (Gherardino)*
CORO DA OSESP
GIACOMO PUCCINI
Il Tabarro
Gianni Schicchi

28 set quinta 21h00 Pau-Brasil
29 set sexta 21h00 Sapucaia
30 set sábado 16h30 Jequitibá

JOHN NESCHLING *regente*
ALEXEI OGRINTCHOUK *oboé*
RICHARD STRAUSS
Till Eulenspiegels lustige Streiche, Op.28
Concerto para Oboé em Ré maior
CLAUDE DEBUSSY
Prélude à l'après-midi d'un faune
La Mer

Além dos concertos da Osesp, você assiste na Sala São Paulo

03 set domingo 11h00
CONCERTOS MATINAIS
ORQUESTRA FILARMÔNICA DE SÃO BERNARDO DO CAMPO
MODESTE MUSSORGSKY
A Noite de São João no Monte Calvo
DMITRY KABALEVSKY
Os Comediantes: 6 peças
ENNIO MORRICONE
Tema do Filme 'A Missão'
JOHN WILLIAMS
Tema do Filme 'Jurassic Park'
HEITOR VILLA-LOBOS
Bachianas nº 2: Trenzinho do Caipira
JOHN WILLIAMS
Tema do Filme 'E.T.'

17 set domingo 11h00
CONCERTOS MATINAIS
GRUPO DE PERCUSSÃO DA UNESP – PIAP
JOHN BOUDLER *direção*
MARIANE CLARO *piano*
DANILO VALLE *xilofone*
DIMITRI CERVO
Toccata Amazônica, Op.14b
PEDRO TAKANO
Quarteto para Caixas (1ª audição mundial)
GEORGE H. GREEN
Jovial Jasper (arr. William Cahn)
JOHN CAGE
Third Construction
MARK FORD
Afta-Stubel
ALMEIDA PRADO
Concerto de Descobrimento do Brasil (1ª audição brasileira)

18 set segunda 21h00
19 set terça 21h00
MOZARTEUM BRASILEIRO
KREMERATA BALTICA
GIDON KREMER *violino*
LUDWIG VAN BEETHOVEN
Grande Fuga, Op.133
ROBERT SCHUMANN
Concerto para Violino e Orquestra de Cordas em lá menor, Op.129
ISAAK OSIPOVICH DUNAYEVSKY
Abertura do filme 'Children of Captain Grant'
SIR CHARLES SPENCER CHAPLIN
Tempos Modernos: Suíte
ERICH WOLFGANG KORNGOLD
Serenata Sinfônica, Op.39: dois movimentos
EDISON DENISOV
Happy End
ASTOR PIAZZOLLA
Celos e Libertango

26 set terça 21h00
OSUSP - ORQUESTRA SINFÔNICA DA UNIVERSIDADE DE SÃO PAULO
CARLOS MORENO *regente*
NAHIM MARUN *piano*
WOLFGANG A MOZART
As Bodas de Fígaro: Abertura
FRÉDÉRIC CHOPIN
Concerto para Piano nº 2 em fá menor
ROBERT SCHUMANN
Sinfonia nº 2 em Dó maior

27 set quarta 21h00
TUCCA
JEAN-YVES THIBAUDET *piano*
CLAUDE DEBUSSY
Doze Prelúdios para Piano solo, Livro 2, L123
ROBERT SCHUMANN
Arabesco para Piano em Dó maior, Op.18
Estudos sinfônicos para Piano, Op.13

30 set sábado 11h00
TUCCA - SINFONIETA FORTÍSSIMA
JOÃO MAURÍCIO GALINDO *regente*
JEAN BAPTISTE LULLY
Minueto nº 1 - Le Bourgeois Gentilhomme
LUDWIG VAN BEETHOVEN
Minueto em Sol maior
JOHANN STRAUSS
Vinhos, Mulheres e Canções
FRÉDÉRIC CHOPIN
Valsa brilhante
JOHANN STRAUSS
Tritsch-Tratsch-Polka, Op.214
JOHANN STRAUSS
Danúbio azul

OSP

ORQUESTRA
SINFÔNICA DO ESTADO
DE SÃO PAULO

DIREÇÃO ARTÍSTICA
JOHN NESCHLING

FUNDAÇÃO OSESP
ORGANIZAÇÃO SOCIAL DA CULTURA

OUT

Concertos da Osesp

05 out quinta 21h00 Cedro
06 out sexta 21h00 Araucária
07 out sábado 16h30 Mogno
VICTOR HUGO TORO *regente*
JEAN-PHILIPPE COLLARD *piano*
LUCIANO GALLET
Suite bucólica
CAMILLE SAINT-SAËNS
Concerto nº 2 para Piano em sol menor, Op.22
HEITOR VILLA-LOBOS
Sinfonia nº 3 - A Guerra

08 out domingo 17h00 Série de Câmara
EMMANUELE BALDINI *violino*
CORO DE CÂMARA DA OSESP
NAOMI MUNAKATA *regente*
JOHANN SEBASTIAN BACH
Motetos para Coro e Contínuo
Fürchte dich nicht, ich bin bei dir, BWV 228
Komm, Jesu, komm, BWV 229
Lobet den Herrn, alle Heiden, BWV 230
ANTONIO VIVALDI
L'Estro armonico
Concerto RV 230 Op.3/9 para Violino em Ré maior
Concerto RV 265 Op.3/12 para Violino em Mi maior
Concerto RV 565 Op.3/11 para dois Violinos e Violoncelo em ré menor
Concerto RV 580 Op.3/10 para quatro Violinos e Violoncelo em si menor

12 out quinta 21h00 Carnaúba
13 out sexta 21h00 Paineira
14 out sábado 16h30 Imbuia
JOHN NESCHLING *regente*
MARIA JOÃO PIRES *piano*
RICARDO CASTRO *piano*
WOLFGANG A. MOZART
Concerto nº 21 para Piano em Dó maior, KV 467
Concerto nº 9 para Piano em Mi b maior, KV 271 - Jeunehomme
Concerto nº 10 para dois Pianos em Mi b maior, KV 365

19 out quinta 21h00 Jacarandá
20 out sexta 21h00 Pequiá
21 out sábado 16h30 Ipê
JOHN NESCHLING *regente*
ANTONIO MENESES *violoncelo*
DMITRI SHOSTAKOVICH
Abertura festiva, Op.96
HEITOR VILLA-LOBOS
Concerto nº 2 para Violoncelo
ALBERTO GINASTERA
Estância Op.8a: Suite
OTTORINO RESPIGHI
Pini di Roma

26 out quinta 21h00 Pau-Brasil
28 out sábado 16h30 Jequitibá
NAOMI MUNAKATA *regente*
CORO DA OSESP
FELIX MENDELSSOHN-BARTHOLDY
Seis Provérbios para o Ano litúrgico, Op.79
JOHANNES BRAHMS
Motetos festivos e comemorativos, Op.109
KRZYSZTOF PENDERECKI
Os setes Portões de Jerusalém: De profundis
FRANK MARTIN
Missa para dois Coros

Programas Educacionais da Osesp

DESCUBRA A ORQUESTRA

Formação de público
05 out quinta 9h30
19 out quinta 9h30
Ensaio Geral Aberto - Osesp
(Série 4)

20 out sexta 9h30
Concerto Didático - convidada: Osusp
(Série 4)

27 out sexta 14h00
Concerto Didático - convidada: Tucca / Sinfonieta Fortíssima
(Série 3)

Atividades na Osesp
02 out segunda 14h00
16 out segunda 14h00
30 out segunda 14h00
Fazendo Música na Osesp: para escolas inscritas nos eventos
(Série 4)

Além dos concertos da Osesp, você assiste na Sala São Paulo

02 out seg 21h00
MOZARTEUM BRASILEIRO
WÜRCHER KAMMERORCHESTER
RUDOLF BUCHBINDER *piano*
WOLFGANG. A. MOZART
Concerto para piano nº 17, em Sol maior, KV 453
Concerto para piano nº 25, em Dó maior, KV 503
Concerto para piano nº 20, em ré menor, KV 466

08 out dom 11h00
CONCERTOS MATINAIS
ORQUESTRA E CORAL DO PROJETO GURI
PÓLOS DE SÃO BERNARDO DO CAMPO E SANTO ANDRÉ
DANIEL CORNEJO *regência*
Saltimbancos

21 out sab 21h00
OSSA
ORQUESTRA SINFÔNICA DE SANTO ANDRÉ
FLAVIO FLORENCE *regente*
ANDREAS HENKEL *piano*
RICHARD WAGNER
O Navio fantasma: Abertura
WOLFGANG A. MOZART
Concerto nº 27 para Piano e Orquestra, KV 595
ROBERT SCHUMANN
Sinfonia nº 4 em ré menor, Op.120

22 out dom 11h00
CONCERTOS MATINAIS
ORQUESTRA SINFÔNICA MUNICIPAL DE SANTOS
LUÍS GUSTAVO PETRI *regente*
WAGNER POLISTCHUK *regente e trombone*
LUDWIG VAN BEETHOVEN
Abertura Leonora nº 1
GORDON JACOB
Concerto para Trombone e Orquestra
LUDWIG VAN BEETHOVEN
Sinfonia nº 2 em Ré maior, Op.36

23 out seg 21h00
25 out qua 21h00
MOZARTEUM BRASILEIRO
DAME FELICITY LOTT *soprano*
MACIEJ PIKULSKI *piano*
ROBERT SCHUMANN
RICHARD STRAUSS
REYNALDO HAHN
MAURICE YVAIN
ANDRE MESSAGER
NOEL COWARD

28 out sáb 11h00
TUCCA - SINFONIETA FORTÍSSIMA
JOÃO MAURÍCIO GALINDO *regente*
LUIS MIRANDA *ator*
CECÍLIA MOITA *piano*
KHATIA BONNA *piano*
CAMILLE SAINT-SÄENS
O Carnaval dos Animais

31 out ter 21h00
OSUSP - ORQUESTRA SINFÔNICA DA UNIVERSIDADE DE SÃO PAULO
GUILLERMO SCARABINO *regente*
SONIA RUBINSKY *piano*
WOLFGANG. A. MOZART
Sinfonia nº 38, KV 504 - Praga
ROBERT SCHUMANN
Concerto para Piano em lá menor, Op.54
Sinfonia nº 3 em mi b, Op.97 - Renana

2006

ORQUESTRA
SINFÔNICA DO ESTADO
DE SÃO PAULO

DIREÇÃO ARTÍSTICA
JOHN NESCHLING

FUNDAÇÃO OSESP
ORGANIZAÇÃO SOCIAL DA CULTURA

Concertos da Osesp

Temporada 2007

12 abr quinta 21h00 JACARANDÁ
13 abr sexta 21h00 PEQUIÁ
14 abr sábado 16h30 IPÊ

CHRISTOPH POPPEN *regente*
JULIANE BANSE *soprano*
RICHARD STRAUSS
Quatro últimas Canções
GUSTAV MAHLER
Sinfonia nº 5 em dó # menor

19 abr quinta 21h00 CEDRO
20 abr sexta 21h00 ARAUCÁRIA
21 abr sábado 16h30 MOGNO

GABRIEL CHMURA *regente*
CHUN WANG *piano*
MOISEY WEINBERG
Sinfonieta sobre Temas judaicos, Op.41
FRÉDÉRIC CHOPIN
Concerto nº 1 para Piano em mi menor, Op.11
ANTONÍN DVORÁK
Sinfonia nº 6 em Ré maior, Op.60

22 abr domingo 17h00 SÉRIE DE CÂMARA

WAGNER POLISTCHUK *regente*
ROMAIN DAVID *piano*
CORO DE CÂMARA DA OSESP
WOLFGANG A. MOZART
Concerto nº 13 para Piano em Dó maior, KV 415
JAMES MACMILLAN
As sete últimas Palavras de Cristo na Cruz

26 abr quinta 21h00 CARNAÚBA
27 abr sexta 21h00 PAINEIRA
28 abr sábado 16h30 IMBUIA

JOHN NESCHLING *regente*
YEVGENY SUDBIN *piano*
JOHANNES BRAHMS
Abertura trágica, Op.81
NIKOLAI MEDTNER
Concerto nº 1 para Piano em dó menor, Op.33
ROBERT SCHUMANN
Sinfonia nº 1 em Si b maior, Op.38 - Primavera

Programas Educacionais da Osesp

DESCUBRA A ORQUESTRA

Formação de público
02 abr segunda 9h00
04 abr quarta 9h00
05 abr quinta 9h00
Concerto Didático
Orquestra Sinfônica da
Universidade de São Paulo

13 abr sexta 13h30
Ensaio Geral Aberto
TUCCA - Sinfonieta Fortíssima

19 abr quinta 9h00
26 abr quinta 9h00
Ensaio Geral Aberto
Orquestra Sinfônica
do Estado de São Paulo

Atividades na Osesp
02 abr segunda 15h00
04 abr quarta 15h00
05 abr quinta 15h00
09 abr segunda 15h00
Fazendo Música na Osesp
Para escolas estaduais
inscritas no Programa.

Além dos concertos da Osesp, você assiste na Sala São Paulo

14 abr sábado 11h00
ORQUESTRA TUCCA PHILARMONICA
SINFONIETA FORTÍSSIMA
JOÃO MAURÍCIO GALINDO *regente*
ANDRÉA BASSITT *atriz*
LUIZ GUILHERME *ator*
DANIEL CUCCOLO *ator*
O APRENDIZ DE MAESTRO: AFINANDO
OS PLANETAS
GUSTAV HOLTZ
Os Planetas

16 abr segunda 21h00
SOCIEDADE DE CULTURA ARTÍSTICA
BUDAPEST FESTIVAL ORCHESTRA
IVÁN FISCHER *regente*
MOZART
Sinfonia Concertante em Mi bemol maior KV 297b
BRUCKNER
Sinfonia nº 7

17 abr terça 21h00
SOCIEDADE DE CULTURA ARTÍSTICA
BUDAPEST FESTIVAL ORCHESTRA
IVÁN FISCHER *regente*
LEO WEINER
Serenata Op.3
SCHUMANN
Peça de Concerto para quatro Trompas e Orquestra
BEETHOVEN
Abertura: Coriolano
Sinfonia nº 5

24 abr terça 21h00
ORQUESTRA SINFÔNICA DA
UNIVERSIDADE DE SÃO PAULO - OSUSP
CARLOS MORENO *regente*
GLORIA MENEZES *recitadora*
MARCO RICCA *recitador*
SHAKESPEARE
Romeu e Julieta
Otelo
Sonho de uma Noite de Verão
PYOTR I. TCHAIKOVSKY
Romeu e Julieta
ANTONÍN DVORÁK
Otelo, Op.93B
FELIX MENDELSSOHN-BARTHOLDY
Sonho de uma Noite de Verão

29 abr domingo 17h00
ORQUESTRA SINFÔNICA DE SANTO ANDRÉ - OSSA
WAGNER POLISTCHUK *regente convidado*
JEAN SIBELIUS
Tapiola
JOHN ADAMS
Lolapalooza
EDWARD ELGAR
Variações Enigma

INGRESSOS

OSESP	
Platéia Central	R$ 56,00
Platéia Elevada	R$ 46,00
Balcão Mezanino	R$ 89,00
Camarote Mezanino	R$ 66,00
Coro	R$ 30,00
Balcão Superior	R$ 28,00
Camarote Superior	R$ 25,00

Ingressos à venda a partir de 60 dias antes de cada evento.
Programação completa no site www.osesp.art.br

PROGRAMAS EDUCACIONAIS DA OSESP
Informações, preços e programação completa:
www.osesp.art.br/educacionais
11 3367 9572

SOCIEDADE DE CULTURA ARTÍSTICA	
Setor I	R$ 240,00
Setor II	R$ 190,00
Setor III	R$ 150,00
Setor IV	R$ 120,00

Informações e ingressos: 11 3258 3344

TUCCA	
Setor I	R$ 40,00
Setor II	R$ 35,00
Setor III	R$ 30,00

Informações e ingressos: 11 3057 0131 ramal 4 / 3887 0593

OSUSP	
Balcão Mezanino	R$ 100,00
Camarote Mezanino	R$ 70,00
Platéia Central	R$ 70,00
Platéia Elevada	R$ 50,00
Camarote Superior	R$ 30,00
Balcão Superior	R$ 15,00
Coro	R$ 50,00

Informações e ingressos: 11 3091 3000

OSSA	
Preço único	R$ 10,00

Informações e ingressos: 11 4433 0789 ramais 214 ou 218

Programação sujeita a alterações.

Ingressorápido
T 11 2163 2000

Patrocínio

OSP 50 ANOS
ORQUESTRA
SINFÔNICA DO ESTADO
DE SÃO PAULO
DIREÇÃO ARTÍSTICA
JOHN NESCHLING
SECRETARIA
DA CULTURA
GOVERNO DO ESTADO DE
SÃO PAULO
RESPEITO PELAS PESSOAS
29 OUT Araucária sexta 21h00
31 OUT Jatobá domingo 17h
CORO DA OSESP
REGENTE
NAOMI MUNAKATA
PIANOS
DUO HELOISA E AMILCAR ZANI
BAIXO-BARÍTONO
FRANCISCO MEIRA
NARRADOR
HOMERO KOSSAC
JOHANNES BRAHMS
Liebeslieder
ARNOLD SCHOENBERG
Sinfonia de Câmara nº 1, Op.9
Die glückliche Hand
Kiko
Patrocínio da série Araucária
CAMARGO CORRÊA
patrocínio
VARIG Brasil
apoio cultural
Hertz
Loducca
Ripasa
SALA SÃO PAULO

OSESP
50 ANOS
ORQUESTRA
SI FÔNICA DO ESTADO
DE SÃO PAULO
DIR AO ARTISTICA
JO NESCHLING
SECRETARIA DE ESTADO DA CULTURA
GOVERNO DO ESTADO DE SÃO PAULO
RESPEITO POR VOCÊ
18 NOV Carnaúba quinta 21h00
ORQUESTRA DE CAMARA
REGENTE
CLAUDIO CRUZ
CRAVO
NICOLAU DE FIGUEIREDO
JOHANN S BACH
Concerto para Cravo nº 1 em ré menor, BWV 1052
Concerto de Brandenburgo nº 3 em Sol maior, BWV 1048
Concerto de Brandenburgo nº 6 em Si b maior, BWV 1051
Concerto de Brandenburgo nº 2 em Fá maior, BWV 1047
20 NOV Imbuia sábado 16h30
ORQUESTRA DE CAMARA
REGENTE
CLAUDIO CRUZ
CRAVO
NICOLAU DE FIGUEIREDO
JOHANN S BACH
Concerto para Cravo nº 5 em fá menor, BWV 1056
Concerto de Brandenburgo nº 1 em Fá maior, BWV 1046
Concerto de Brandenburgo nº 5 em Ré maior, BWV 1050
Concerto de Brandenburgo nº 4 em Sol maior, BWV 1049
Patrocínio das séries Imbuia e Carnaúba
Unilever
patrocínio
VARIG Brasil
apoio cultural
Hertz
Loducca
Ripasa
SALA SÃO PAULO

FUNDAÇÃO OSESP
OSP
ORQUESTRA
SINFÔNICA DO ESTADO
DE SÃO PAULO
JOHN NESCHLING
15 jul sábado 16h30 IPÊ
PIOTR I. TCHAIKOVSKY
Concerto para Violino em Ré maior, Op.35
Sinfonia nº 4 em fá menor, Op.36
20 jul quinta 21h00 JACARANDÁ
PIOTR I. TCHAIKOVSKY
Concerto para Violino em Ré maior, Op.35
Sinfonia nº 6 em si menor, Op.74 - Patética
JOHN NESCHLING REGENTE
CLÁUDIO CRUZ VIOLINO
TCHAIKOVSKY
SALA SÃO PAULO
CREDICARD
UNIBANCO
VARIG
SÃO PAULO

OSP
ORQUESTRA
SINFÔNICA DO ESTADO
DE SÃO PAULO
DIREÇÃO ARTÍSTICA
JOHN NESCHLING
FUNDAÇÃO OSESP
ORGANIZAÇÃO SOCIAL DA CULTURA
Pode aplaudir que a Orquestra é sua.
outubro 2006
2006
SALA SÃO PAULO
Patrocínio
BV
CAMARGO CORRÊA
CREDICARD
Nossa Caixa
UNIBANCO
SECRETARIA DE ESTADO DA CULTURA
GOVERNO DO ESTADO DE SÃO PAULO

FUNDAÇÃO OSESP
OSP
ORQUESTRA
DE SÃO PAULO
JOHN NESCHLING
CORO DA OSESP
NAOMI MUNAKATA
regente
26 out quinta 21h00 PAU-BRASIL
28 out sábado 16h30 JEQUITIBÁ
FELIX MENDELSSOHN-BARTHOLDY
Seis Provérbios para o Ano litúrgico, Op.79
JOHANNES BRAHMS
Motetos festivos e comemorativos, Op.109
KRZYSZTOF PENDERECKI
Os Sete Portões de Jerusalém: De profundis
FRANK MARTIN
Missa para dois Coros
SALA SÃO PAULO
Patrocínio
BV FINANCEIRA
CAMARGO CORRÊA
CREDICARD
Nossa Caixa
UNIBANCO
SECRETARIA DE ESTADO DA CULTURA
GOVERNO DO ESTADO DE SÃO PAULO

FUNDAÇÃO OSESP
OSP
ORQUESTRA
SINFÔNICA DO ESTADO
DE SÃO PAULO
JOHN NESCHLING
05 out quinta 21h00 CEDRO
06 out sexta 21h00 ARAUCÁRIA
07 out sábado 16h30 MOGNO
VICTOR HUGO TORO
regente
JEAN-PHILIPPE COLLARD
piano
LUCIANO GALLET
Suite bucólica
CAMILLE SAINT SAËNS
Concerto nº 2 para Piano em sol menor, Op.22
HEITOR VILLA LOBOS
Sinfonia nº 3 – A Guerra
08 out domingo h00 SÉRIE DE CÂMARA
EMMANUELE BALDINI
violino
CORO DE CÂMERA DA OSESP
NAOMI MUNAKATA
regente
JOHANN SEBASTIAN BACH
Motetos para Coro e Contínuo
Fürchte dich nicht, ich bin bei dir, BWV 228
Komm, Jesu, komm, BWV 229
Lobet den Herrn, alle Heiden, BWV 230
ANTONIO VIVALDI
L'Estro armonico
Concerto RV 230 Op.3/9 para
Violino em Ré maior
Concerto RV 265 Op.3/12 para
Violino em Mi maior
Concerto RV 565 Op.3/11 para
dois Violinos e Violoncelo em ré menor
Concerto RV 580 Op.3/10 para
quatro Violinos e Violoncelo em si menor
Kiko
SALA SÃO PAULO
BV FINANCEIRA
CAMARGO CORRÊA
CREDICARD
Nossa Caixa
UNIBANCO
SECRETARIA DE ESTADO DA CULTURA
GOVERNO DO ESTADO DE SÃO PAULO

ORQUESTRA
SINFÔNICA DO ESTADO
DE SÃO PAULO
DIREÇÃO ARTÍSTICA
JOHN NESCHLING
FUNDAÇÃO OSESP
Pode aplaudir que a Orquestra é sua.
SALA SÃO PAULO
Patrocínio
BV FINANCEIRA
CAMARGO CORRÊA
CREDICARD
Nossa Caixa
UNIBANCO
GOVERNO DO ESTADO DE SÃO PAULO

OSP
ORQUESTRA SINFÔNICA DO ESTADO DE SÃO PAULO
DIREÇÃO ARTÍSTICA JOHN NESCHLING
FUNDAÇÃO OSESP
ORGANIZAÇÃO SOCIAL DA CULTURA
30 nov quinta 21h00 PAU-BRASIL
01 dez sexta 21h00 SAPUCAIA
02 dez sábado 16h30 JEQUITIBÁ
JOHN NESCHLING regente
EDUARDO MONTEIRO piano
HENRIQUE OSWALD
Andante com Variações
RONALDO MIRANDA
Concertino para Piano
GABRIEL FAURÉ
Pélleas et Mélisande, Op.80
CLAUDE DEBUSSY
Prélude à L'après-midi d'un Faune
MAURICE RAVEL
La Valse
SALA SÃO PAULO
Patrocínio
CREDICARD
Nossa Caixa
UNIBANCO
SECRETARIA DE ESTADO DA CULTURA
GOVERNO DO ESTADO DE SÃO PAULO
RESPEITO POR VOCÊ

ORQUESTRA
SINFÔNICA DO ESTADO
DE SÃO PAULO
DIREÇÃO ARTÍSTICA
JOHN NESCHLING
FUNDAÇÃO OSESP
ORGANIZAÇÃO SOCIAL DA CULTURA
Pode
aplaudir
que a
Orquestra
é sua
2006
Kiko
SALA SÃO PAULO
Patrocínio
BV FINANCEIRA
CREDICARD
Nossa Caixa
O banco do coração de São Paulo
UNIBANCO
SECRETARIA DE ESTADO DA CULTURA
GOVERNO DO ESTADO DE SÃO PAULO
RESPEITO POR VOCÊ

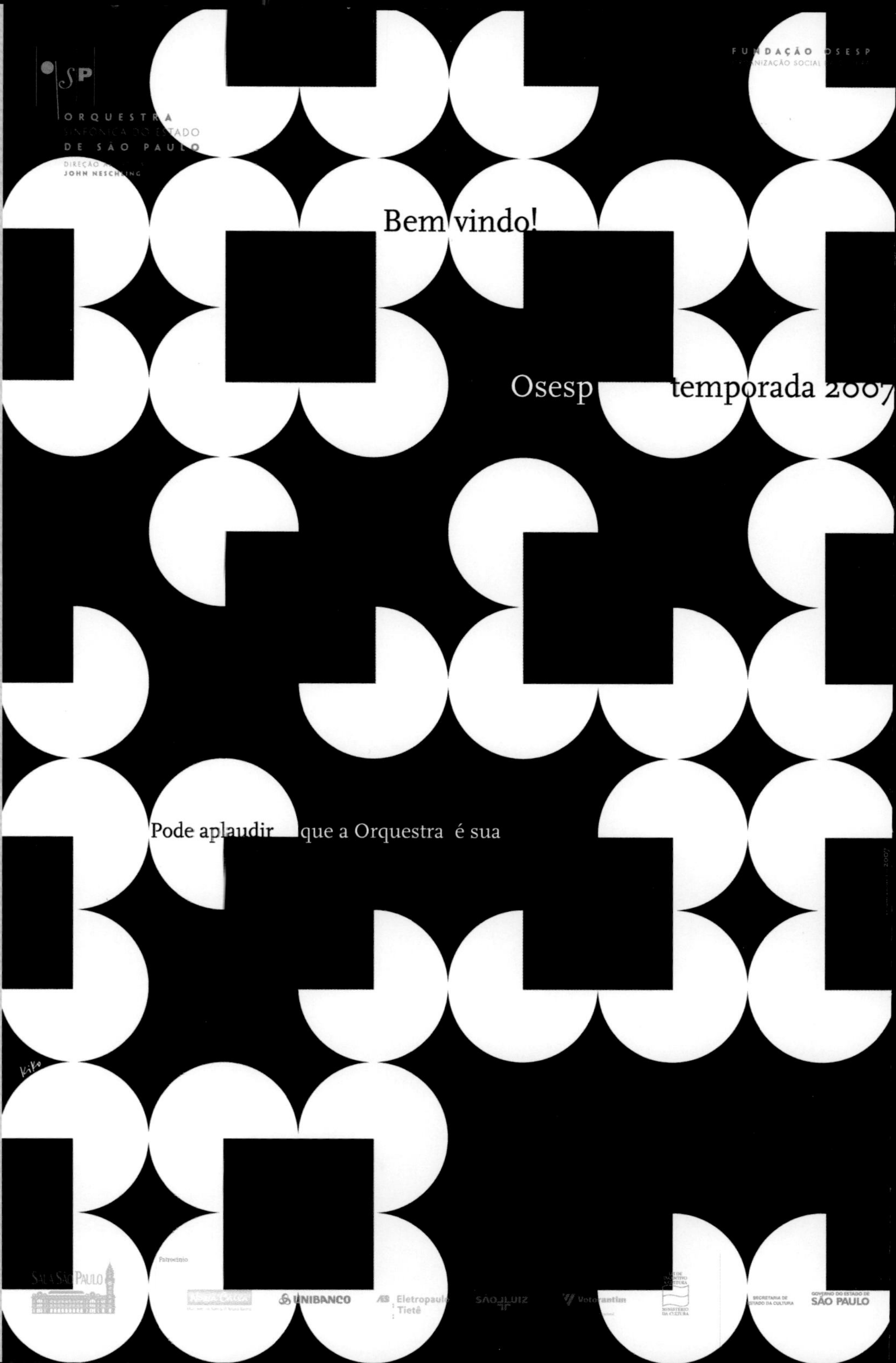
OSP
ORQUESTRA SINFÔNICA DO ESTADO DE SÃO PAULO
FUNDAÇÃO OSESP
Bem vindo!
Osesp temporada 2007
Pode aplaudir que a Orquestra é sua
Kiko
Sala São Paulo
Patrocínio
UNIBANCO
Eletropaulo Tietê
Votorantim
SECRETARIA DE ESTADO DA CULTURA
GOVERNO DO ESTADO DE SÃO PAULO

OSP
ORQUESTRA
SINFÔNICA DO ESTADO
DE SÃO PAULO
DIREÇÃO ARTÍSTICA
JOHN NESCHLING
FUNDAÇÃO OSESP
ORGANIZAÇÃO SOCIAL DA CULTURA
JOHN NESCHLING
regente
DEZSÖ RÁNKI
piano
Concertos de Abertura da Temporada 2007
22 fev quinta 21h00
23 fev sexta 21h00
24 fev sábado 16h30
SILVESTRE REVUELTAS
Sensemayá
BÉLA BARTÓK
Concerto nº 2 para Piano
HEITOR VILLA-LOBOS
Bachianas brasileiras nº 4
OTTORINO RESPIGHI
Pini di Roma
JOHN NESCHLING
regente
NELSON FREIRE
piano
Concerto Pré-Turnê
26 fev segunda 21h00
M. CAMARGO GUARNIERI
Abertura concertante
SERGEI RACHMANINOV
Concerto nº 4 para Piano em sol menor, Op. 40
PYOTR I. TCHAIKOVSKY
Sinfonia nº 1 em sol menor, Op.13 - Sonhos de Inverno
Patrocínio
SALA SÃO PAULO
UNIBANCO
Eletropaulo Tietê
SÃO LUIZ
Votorantim
SÃO PAULO

OSP

ORQUESTRA SINFÔNICA DO ESTADO DE SÃO PAULO

DIREÇÃO ARTÍSTICA
JOHN NESCHLING

FUNDAÇÃO OSESP
ORGANIZAÇÃO SOCIAL DA CULTURA

01 mar quinta 21h00 JACARANDÁ
02 mar sexta 21h00 PEQUIÁ
03 mar sábado 16h30 IPÊ

QUARTETO VERMEER

JOSEPH HAYDN
Quarteto em Ré maior, Op.20 nº 4

BÉLA BARTÓK
Quarteto nº 2 em lá menor, Op.17

LUDWIG VAN BEETHOVEN
Quarteto em lá menor, Op.132

OSP
ORQUESTRA
SINFÔNICA DO ESTADO
DE SÃO PAULO
DIREÇÃO ARTÍSTICA
JOHN NESCHLING
FUNDAÇÃO OSESP
ORGANIZAÇÃO SOCIAL DA CULTURA
12 abr quinta 21h00 JACARANDÁ
13 abr sexta 21h00 PEQUIÁ
14 abr sábado 16h30 IPÊ
CHRISTOPH
POPPEN
REGENTE
JULIANE
BANSE
SOPRANO
RICHARD STRAUSS
Quatro últimas Canções
GUSTAV MAHLER
Sinfonia nº 5 em dó # menor
2007
Patrocínio
SALA SÃO PAULO
UNIBANCO
Eletropaulo
Tietê
SÃO LUIZ
Votorantim
SECRETARIA DE ESTADO DA CULTURA
GOVERNO DO ESTADO DE SÃO PAULO
TRABALHANDO POR VOCÊ
BRASIL
UM PAÍS DE TODOS
GOVERNO FEDERAL

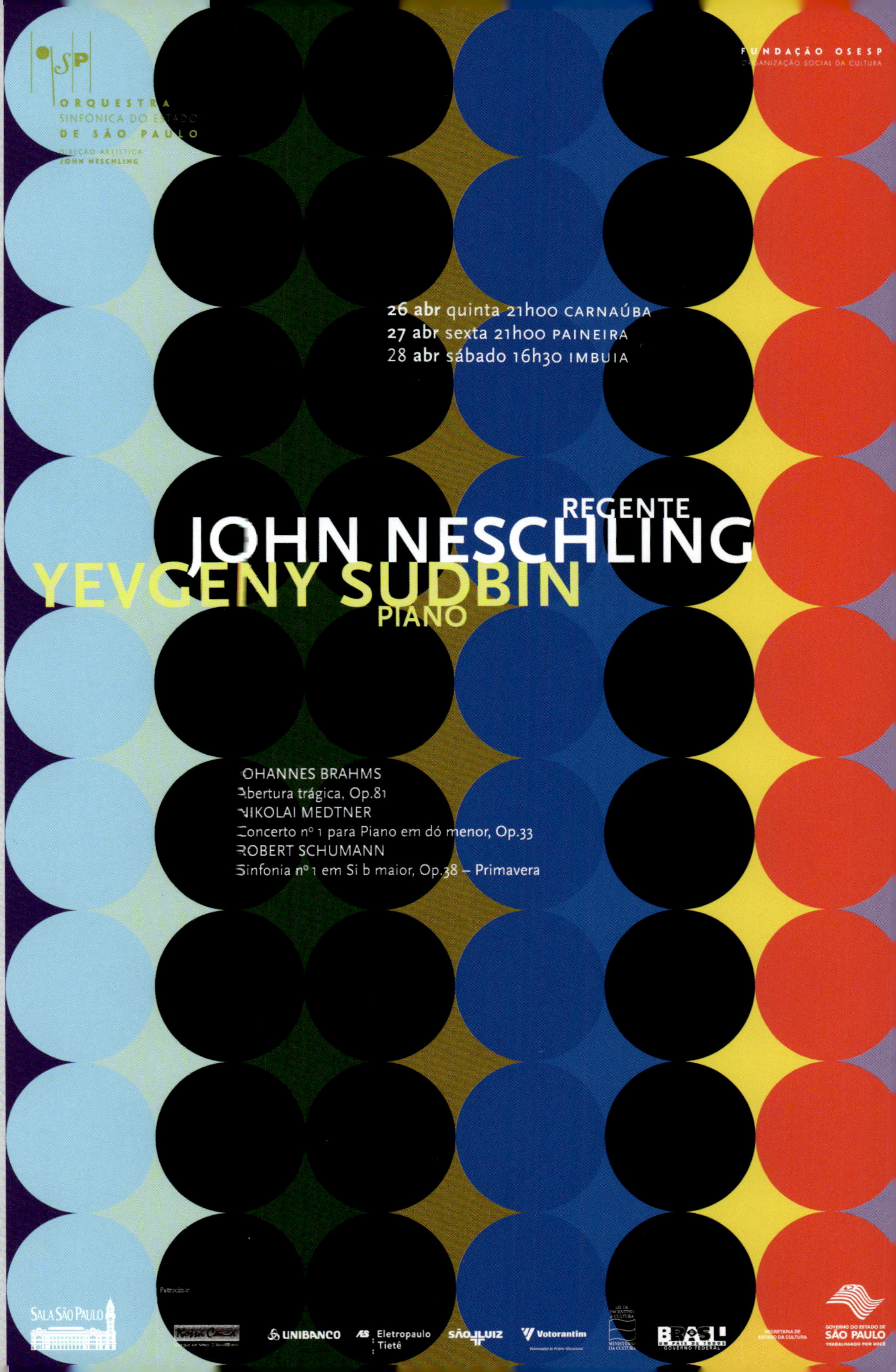

OSP
ORQUESTRA
SINFÔNICA DO ESTADO
DE SÃO PAULO
DIREÇÃO ARTÍSTICA
JOHN NESCHLING
FUNDAÇÃO OSESP
ORGANIZAÇÃO SOCIAL DA CULTURA
26 abr quinta 21h00 CARNAÚBA
27 abr sexta 21h00 PAINEIRA
28 abr sábado 16h30 IMBUIA
REGENTE
JOHN NESCHLING
YEVGENY SUDBIN
PIANO
JOHANNES BRAHMS
Abertura trágica, Op.81
NIKOLAI MEDTNER
Concerto nº 1 para Piano em dó menor, Op.33
ROBERT SCHUMANN
Sinfonia nº 1 em Si b maior, Op.38 – Primavera
Patrocínio
SALA SÃO PAULO
UNIBANCO
Eletropaulo Tietê
SÃO LUIZ
Votorantim
BRASIL
GOVERNO FEDERAL
GOVERNO DO ESTADO DE SÃO PAULO

OSP
ORQUESTRA
SINFÔNICA DO ESTADO
DE SÃO PAULO
DIREÇÃO ARTÍSTICA
JOHN NESCHLING
FUNDAÇÃO OSESP
ORGANIZAÇÃO SOCIAL DA CULTURA
GABRIELA
MONTERO
piano
08 mar quinta 21h00 CEDRO
09 mar sexta 21h00 ARAUCÁRIA
10 mar sábado 16h30 MOGNO
Kiko
FRÉDÉRIC CHOPIN
Polonaise-Fantasie em Lá b maior, Op.61
ROBERT SCHUMANN
Sonata nº 1 em fá # menor
FRÉDÉRIC CHOPIN
Noturno em dó menor, Op.48 nº 1
FRANZ LISZT
Valsa Mefisto
IMPROVISAÇÕES SOBRE TEMAS
- de Gabriela Montero
- propostos pelo Público
2007
Patrocínio
SALA SÃO PAULO
UNIBANCO
AES Eletropaulo Tietê
SÃO LUIZ
Votorantim
SECRETARIA DE ESTADO DA CULTURA
GOVERNO DO ESTADO DE SÃO PAULO
TRABALHANDO POR VOCÊ

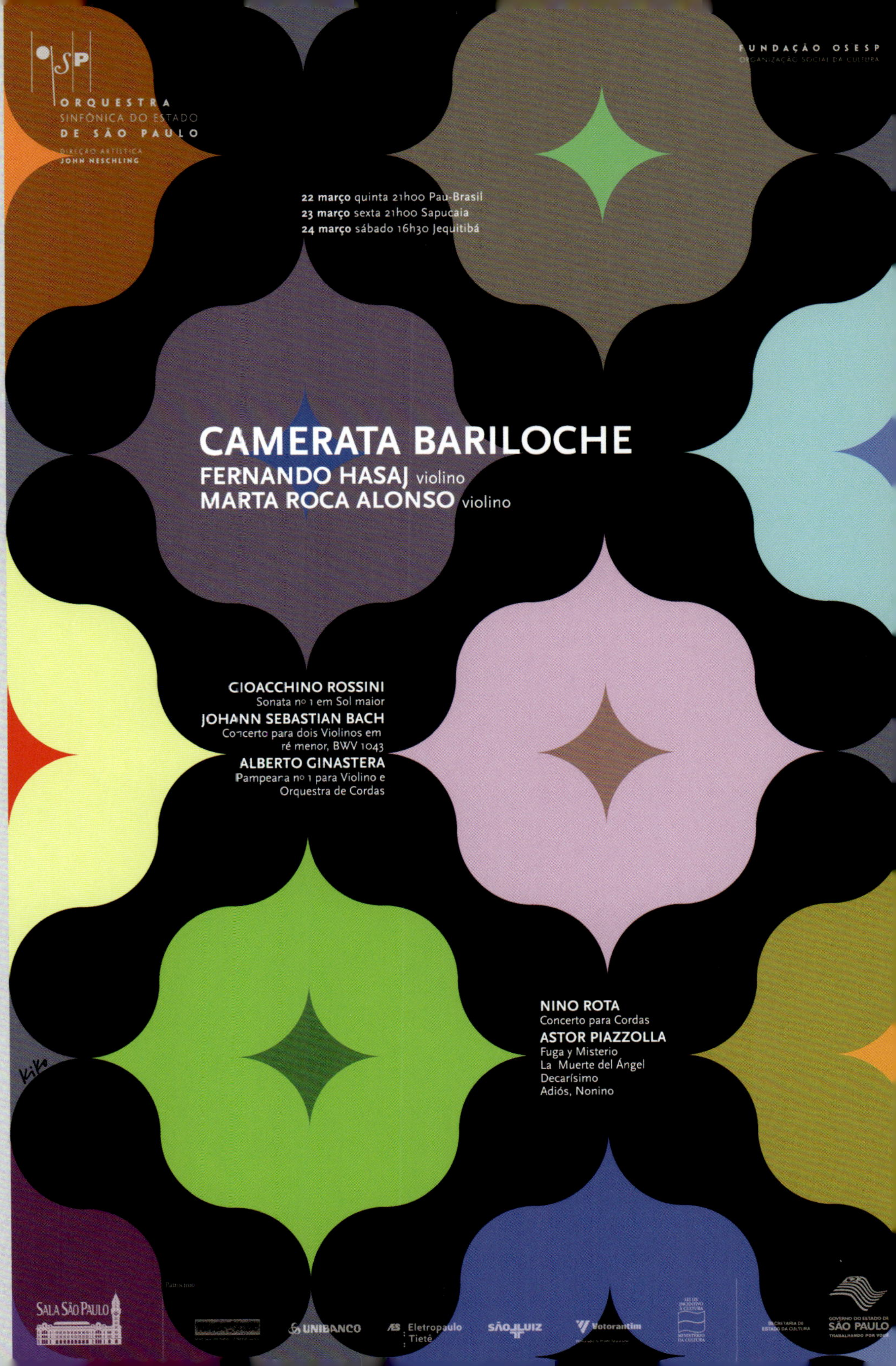

OSP
ORQUESTRA
SINFÔNICA DO ESTADO
DE SÃO PAULO
DIREÇÃO ARTÍSTICA
JOHN NESCHLING
FUNDAÇÃO OSESP
ORGANIZAÇÃO SOCIAL DA CULTURA
22 março quinta 21h00 Pau-Brasil
23 março sexta 21h00 Sapucaia
24 março sábado 16h30 Jequitibá
CAMERATA BARILOCHE
FERNANDO HASAJ violino
MARTA ROCA ALONSO violino
GIOACCHINO ROSSINI
Sonata nº 1 em Sol maior
JOHANN SEBASTIAN BACH
Concerto para dois Violinos em ré menor, BWV 1043
ALBERTO GINASTERA
Pampeana nº 1 para Violino e Orquestra de Cordas
NINO ROTA
Concerto para Cordas
ASTOR PIAZZOLLA
Fuga y Misterio
La Muerte del Ángel
Decarísimo
Adiós, Nonino
Kiko
SALA SÃO PAULO
UNIBANCO
Eletropaulo
Tietê
SÃO LUIZ
Votorantim
GOVERNO DO ESTADO DE SÃO PAULO

OSP
ORQUESTRA
SINFÔNICA DO ESTADO
DE SÃO PAULO
DIREÇÃO ARTÍSTICA
JOHN NESCHLING
FUNDAÇÃO OSESP
ORGANIZAÇÃO SOCIAL DA CULTURA
17 mai quinta 21h00 CEDRO
18 mai sexta 21h00 ARAUCÁRIA
19 mai sábado 16h30 MOGNO
JOHN NESCHLING
REGENTE
SHARON BEZALY
FLAUTA
ARTHUR HONEGGER
Pacific 231
KALEVI AHO
Concerto para Flauta
JOHANNES BRAHMS
Sinfonia nº 3 em Fá maior, Op.90
SALA SÃO PAULO
UNIBANCO
AES Eletropaulo Tietê
SÃO LUIZ
Votorantim
BRASIL
GOVERNO DO ESTADO DE SÃO PAULO
TRABALHANDO POR VOCÊ

ORQUESTRA
SINFÔNICA DO ESTADO
DE SÃO PAULO
DIREÇÃO ARTÍSTICA
JOHN NESCHLING
FUNDAÇÃO OSESP
ORGANIZAÇÃO SOCIAL DA CULTURA
10 mai quinta 21h00 PAU-BRASIL
11 mai sexta 21h00 SAPUCAIA
12 mai sábado 16h30 JEQUITIBÁ
ROBERTO DUARTE REGENTE
ANNA KORONDI SOPRANO
CORO DA OSESP
WOLFGANG A. MOZART
Exsultate jubilate, KV 165
HEITOR VILLA-LOBOS
A Floresta do Amazonas
13 mai domingo 17h00
QUARTETOS DE HAYDN E MOZART
QUARTETOROMANOV
JOSEPH HAYDN
Quarteto em ré menor, Op.76 n° 2 - Das Quintas
WOLFGANG A. MOZART
Quarteto em Si b maior, KV 458 - A Caça
JOSEPH HAYDN
Quarteto em Dó maior, Op.76 n° 3 - Imperado
SALA SÃO PAULO
UNIBANCO
Eletropaulo
Tietê
Votorantim
SÃO PAULO

ORQUESTRA SINFÔNICA DO ESTADO DE SÃO PAULO
DIREÇÃO ARTÍSTICA JOHN NESCHLING
FUNDAÇÃO OSESP
ORGANIZAÇÃO SOCIAL DA CULTURA
24 mai quinta 21h00 CARNAÚBA
25 mai sexta 21h00 PAINEIRA
26 mai sábado 16h30 IMBUIA
JUNICHI HIROKAMI REGENTE
MEI-TING SUN PIANO
TORU TAKEMITSU
Rain coming
EDVARD GRIEG
Concerto para Piano em lá menor, Op.16
SERGEI RACHMANINOV
Sinfonia nº 3 em lá menor, Op.44
27 mai domingo 17h00
SÉRIE DE CÂMARA
VICTOR HUGO TORO REGENTE
FERNANDO TOMIMURA PIANO
KARIN FERNANDES PIANO
JOHN NESCHLING NARRADOR
CAMILLE SAINT-SAËNS
O Carnaval dos Animais
IGOR STRAVINSKY
A História do Soldado
2007
Patrocínio
SALA SÃO PAULO
UNIBANCO
Eletropaulo Tietê
SÃO LUIZ
Votorantim
BRASIL
GOVERNO DO ESTADO DE SÃO PAULO
TRABALHANDO POR VOCÊ

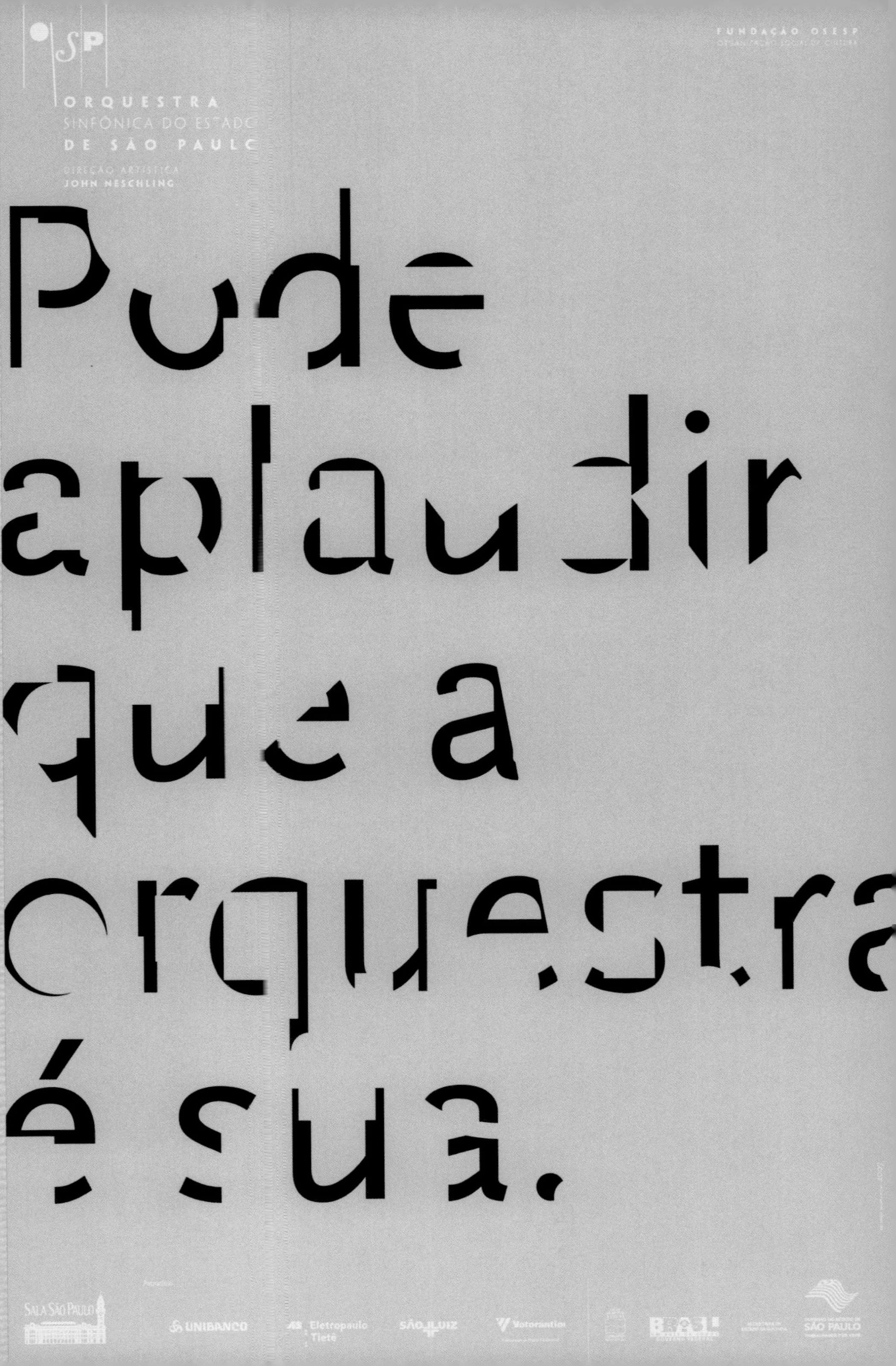
ORQUESTRA
SINFÔNICA DO ESTADO
DE SÃO PAULO
DIREÇÃO ARTÍSTICA
JOHN NESCHLING
FUNDAÇÃO OSESP
Pode aplaudir que a orquestra é sua.
SALA SÃO PAULO
UNIBANCO
Eletropaulo Tietê
SÃO LUIZ
Votorantim
SÃO PAULO

07 jun quinta 21h00 Pau-Brasil
08 jun sexta 21h00 Sapucaia
09 jun sábado 16h30 Jequitibá
FUNDAÇÃO OSESP
ORQUESTRA
SINFÔNICA DO ESTADO
DE SÃO PAULO
JOHN NESCHLING
Yoram David
regente
Alfredo Perl
piano
CLAUS MARIA VON WEBER
Konzertstück para piano
em fá menor, op.79
RICHARD STRAUSS
Burleske em ré menor
SERGEI PROKOFIEV
Cinderella: Ato II
Sala São Paulo
UNIBANCO
AES Eletropaulo Tietê
SÃO LUIZ
Votorantim
SÃO PAULO

ORQUESTRA SINFÔNICA DO ESTADO DE SÃO PAULO
DIREÇÃO ARTÍSTICA JOHN NESCHLING

FUNDAÇÃO OSESP
ORGANIZAÇÃO SOCIAL DA CULTURA

07 jun quinta 21h00 Pau-Brasil
08 jun sexta 21h00 Sapucaia
09 jun sábado 16h30 Jequitibá

Yoram David
regente

Alfredo Perl
piano

CARL MARIA VON WEBER
Konzertstück para Piano em fá menor, Op.79

RICHARD STRAUSS
Burleske em ré menor

SERGEI PROKOFIEV
Cinderela: Ato II

FUNDAÇÃO OSESP

ORQUESTRA SINFÔNICA DO ESTADO DE SÃO PAULO

JOHN NESCHLING

14 jun quinta 21h00 Jacarandá
15 jun sexta 21h00 Pequiá
16 jun sábado 16h30 Ipê

Victor Hugo Toro
regente

Jonathan Gilad
piano

ANTON WEBERN Im Sommerwind
WOLFGANG A. MOZART Concerto nº 24 para Piano em Dó menor, KV 491
M. CAMARGO GUARNIERI Encantamento
JOAQUÍN TURINA Sinfonia sevilhana, Op.23

17 jun domingo 17h00 Série de Câmara

Emmanuele Baldini
regente e violino

Davi Graton
violino

Karin Fernandes
piano

Coro de Câmara da Osesp

ANTONIO VIVALDI Concerto em Mi menor para Violino, Cordas e Contínuo - Il Favorito
ALFRED SCHNITTKE Concerto grosso nº 1
WOLFGANG A. MOZART Missa em Dó maior, KV 167 - À Santíssima Trindade

ORQUESTRA
SINFÔNICA DO ESTADO
DE SÃO PAULO
JOHN NESCHLING
FUNDAÇÃO OSESP
ORGANIZAÇÃO SOCIAL DA CULTURA
5 jul quinta 21h00 Pau-Brasil
6 jul sexta 21h00 Sapucaia
John Neschling
regente
Vadim Gluzman
violino
Coro da Osesp
Kiko
LIDUINO PITOMBEIRA
Mariinha (1ª audição mundial)
SAMUEL BARBER
Concerto para Violino, Op.14
ROBERT SCHUMANN
Sinfonia nº 2 em Dó maior, Op.61
SALA SÃO PAULO
UNIBANCO
Eletropaulo
Tietê
SÃO LUIZ
Votorantim
SÃO PAULO

Da livre natureza dos sistemas

João de Souza Leite

Aos olhos do leigo, um cartaz não é exatamente um cartaz, é sobretudo uma possibilidade de conexão a um evento, um acontecimento ou um produto. Qualquer que seja a informação ali encerrada, para o leigo importa a sensação despertada, o sentido tornado alerta, embora não saiba por que nem como se dá tamanha mobilização pessoal diante de uma simples folha de papel impresso. Em segundo lugar, geralmente, importa-lhe a precisão de informação ali contida.

O que nos interessa aqui, e que parece ser fascinante, é a possibilidade de desvelar os artifícios utilizados por Kiko Farkas na construção de tão variado, e ao mesmo tempo tão coeso, conjunto de cartazes para a Orquestra Sinfônica do Estado de São Paulo, projetados entre 2003 e 2007 por ele e sua equipe. Cerca de 300 cartazes diferentes pensados e impressos nesses quatro anos e meio. Na média, algo em torno de seis cartazes por mês. Por vezes, até oito em um só mês!

De riqueza e variedade singulares, essa produção ecoa temas explorados ao longo da história do design. Dito isso, desse modo, pode parecer que a sua originalidade se coloca em risco. Ou ainda que o trabalho de Kiko, por demais pessoal, pudesse deixar de lado alguns compromissos básicos do design gráfico. De modo algum. É justamente na confluência desses e de alguns outros fatores que cercam o projeto e a produção dessa formidável coleção que se encerra o maior desafio para a sua análise.

Aqui, portanto, entre outros aspectos, importa tecer comentários

On the free nature of systems

João de Souza Leite

To the eyes of a layman, a poster is not just a poster; it is more like a potential link to an event, a happening or a product. Whatever the information it holds, what is important to the layman is the feeling it provokes, the sense of urgency, even though they do not know why or how so much personal mobilization is achieved through a simple sheet of printed paper. Secondly, the accuracy of the information contained in it is also generally considered important.

What interests us here, and what seems fascinating, is the chance of exposing the techniques used by Kiko Farkas in the construction of such a varied yet cohesive group of posters for the Osesp, which he and his team created between 2003 and 2007. Around 300 posters were devised and printed over these four and, a half years, averaging at around six posters a month. On occasion there were as many as eight in a single month!

This work of unparalleled richness and variety echoes themes that have been explored throughout the history of design. However, this may imply that its originality is at risk. Or that Kiko's work, which is so personal, may neglect some of the basic premises of graphic design. This is not so. It is precisely in the confluence of these and other factors that surround the design and production of this formidable collection that we find the greatest challenge for its analysis.

Therefore, among other aspects, here it is important to draw

a respeito da liberdade de Kiko em relação a certos cânones formais, importa admirar e apontar seu rigor tipográfico. Esses aspectos constituintes do trabalho confirmam um preceito primeiro do design gráfico, aquele que supõe um outro, um alguém a ser comunicado, ou um grupo de pessoas a ser informado. Um leigo, enfim, que não somente será capturado, mas instigado por suas imagens, e que ainda será devidamente informado de coisas triviais, mas muito precisas, como local, data e hora dos concertos realizados pela magnífica orquestra, lado a lado, e sem esquecer o devido destaque, aos compositores, suas obras, condutores e solistas dos espetáculos.

Kiko Farkas – neto de Desidério Farkas, o fundador da Fotoptica, filho de Thomaz Farkas, notável fotógrafo de origem húngara como László Moholy-Nagy, que tanto repercute em suas fotos – nasceu, como se vê, em família ligada à imagem. Fosse por sua produção, por seu enquadramento, por seu comércio, a imagem lhe foi o centro de casa.

"Havia um laboratório de fotos em que meus irmãos mais velhos se enfurnavam às vezes a noite inteira. Não tinha muita paciência para aquilo e preferia a biblioteca e a discoteca do meu pai onde durante muitos anos descobri coisas maravilhosas. Quer um exemplo? Que tal a coleção completa da revista *Graphis*? Ou ainda todos os anuários da mesma editora? Livros do Saul Steinberg? Lá estavam... HQ da Barbarella? Lá estava. Salvador Dalí? Também. Álbum de cartazes *art déco*. A coleção de arte antiga da editora Skira, onde as imagens são impressas a sete cores com dourado e azul especial, estava lá."[1]

Kiko teve também uma formação artística:

"Tive aulas com o Luiz Paulo Baravelli, o Frederico Nasser e o Carlos Fajardo. Na FAU, em 1977, comecei a fazer gravura em metal no ateliê do Sérgio Fingermann. Lá havia também um ateliê de aquarela e xilogravura com a Renina Katz. Em 1979, passei um ano em Nova York no Arts Students League, estudando com um professor que tinha sido aluno do Georg Grosz. Era desenho de modelo vivo todo dia de manhã, em escala natural. Foi um apren-

1. Entrevista ao autor, julho de 2009.

together commentaries on Kiko's freedom in relation to certain formal canons, and to admire and underline his typographic rigor. These constituent elements of his work confirm a vital precept of graphic design, that which supposes an 'other', someone to communicate with, or a group of people to inform. A layman, in other words, who will not only be captivated, but enthused by the images, and who will also be informed of trivial, but very important, things such as the place, date and time of the concerts put on by the magnificent orchestra, together with bringing to the fore the composers, their works and the conductors and soloists of the performances.

Kiko Farkas – the grandson of Desidério Farkas, the founder of Fotoptica, son of Thomaz Farkas, a respected photographer of Hungarian extraction, like László Moholy-Nagy, to whom he refers so often in his photographs – was born, as one can see, into a family strongly connected to images. Through their production, framing and commercialization, images were at the center of the home.

"There was a dark room where my older brothers would hole up, sometimes for the entire night. I didn't have much patience for that, and I preferred my father's library and records collection where I found marvellous things over the years. You want an example? How about the complete collection of *Graphis* magazine? Or all of their annuals? Saul Steinberg books? They were there... Barbarella comics? There too. Salvador Dalí? As well. An album of Art Deco posters. The publishing house Skira's old collection of art, where the images were printed in seven colors with a special gold and blue, they were there."[1]

Kiko Farkas also trained as an artist:

"I had classes with Luiz Paulo Baravelli, Frederico Nasser and Carlos Fajardo. At FAU, in 1976, I started metal engraving in Sérgio Fingermann's studio. There was also a watercolor and woodcut studio with Renina Katz. In 1979, I spent a year in New York at the Arts Students League, studying with a professor who had studied under Georg Grosz. We did life-sized life drawing every morning. It was an amazing thing to learn, to learn how

1. Interview with the author, July 2009.

dizado incrível, aprender a olhar. Nesse período, desenhei todos os dias, praticamente todo o tempo, fazendo aquarelas, gravuras, cadernos de anotação".

Assim, leitores, o notável conjunto – por quantidade e qualidade, ambas condicionadas pelo tempo de realização – nos remete à recorrente questão: é arte ou é design?

Muitos binômios foram, ao longo dos tempos, articulados em oposição no campo das realizações gráficas. Arte e design é certamente um dos mais reincidentes. Na Bauhaus, grande matriz moderna do ensino de design, arte e técnica se combinaram em sua guinada pelo rigor construtivo que passou a orientar sua produção a partir de exposição de 1923. Por esse caminho, abriu-se a porta para o construtivismo e posteriormente para a arte concreta como matriz do pensamento moderno na arquitetura, no design e nas artes gráficas. E foi por esse caminho, ainda, que se optou por uma definição do design em oposição à arte. Os cartazes de Kiko dão margem a essa discussão.

Expressão pessoal e informação foram muitas vezes consideradas antagônicas, na maior parte das vezes em infeliz formulação, por se desconsiderar o grau de interferência dos aspectos simbólicos presentes em toda manifestação humana sobre o âmbito da comunicação, questão tratada por Katherine McCoy em seu artigo "Information and Persuasion: Rivals or Partners?".[2] No pequeno artigo publicado na revista *Design Issues*, a designer e ensaísta norte-americana desmonta definitivamente a ideia de que um aspecto possa se desvincular do outro.

Pouco importa, os cartazes em questão nos impõem o desvio da enfadonha questão. Como separar aqui campos tão irmanados? Mais vale nos concentrarmos no tipo de matéria de que se vale o autor. De que natureza foram seus instrumentos conceituais e técnicos? Quais os recursos de que dispôs? Esses, sim, alguns dos tópicos merecedores da nossa reflexão.

Ainda outro, talvez dos mais significativos no campo do design gráfico, diz respeito a "identidade". Central à atividade, nada do que se faça em design gráfico deixa de considerar,

2. Katherine McCoy, "Information and Persuasion: Rivals or Partners?". In: *Design Issues*, vol. 16, n. 3, outono 2000.

to look. Over this period I drew every day, practically the whole time: watercolors, prints, notebooks."

Thus we can see that these posters – their quantity and quality, both influenced by the time-limits of their creation – lead us to the recurring question: is it art or design?

Many binomial terms have been used over the years, used contrastingly in the design field. Art and design are certainly one of the most recurrent. In the Bauhaus, the great modern center of design teaching, art and technique were combined in their drive for the constructive rigor that came to guide their production after the 1923 exhibition. A door onto constructivism was opened by this direction, and later onto concrete art as a template for modern thinking in architecture, design and the graphic arts. It was also from this direction that the definition of design came about in opposition to art. Kiko's posters bring this issue back into debate.

Personal expression and information have often been considered antagonistic, and in general unhappy bedfellows, because they do not take into consideration the degree of interference of the symbolic elements present in every human manifestation of the scope of communication, a question dealt with by Katherine McCoy in her article "Information and Persuasion: Rivals or Partners?"[2] In this short article published in *Design Issues*, the American designer and essayist definitively takes apart the notion that it is possible to separate one from the other.

Irrespective of this, the posters here force us to face the inconvenient question of how to separate such intrinsically related fields? It is more relevant to concentrate on the kind of subject used by the author. In what way were his tools conceptual and technical? What resources did he employ? These are the topics that deserve our consideration.

Another topic, perhaps the most important in the field of graphic design, is about "identity". It is central to the activity; nothing in graphic design can ignore the issue of identity at any level.

2. Katherine McCoy, "Information and Persuasion: Rivals or Partners?". In: *Design Issues*, vol. 16, n. 3, Autumn 2000.

em algum grau, por vezes em seu mais determinante grau, a questão da identidade.

Já que o conjunto de cartazes articula função tão claramente identitária, ao longo da imensa coleção Kiko torna possível a construção coesa de uma linguagem que, por fim, se mimetiza com a própria natureza do fenômeno a que se refere – as manifestações musicais da Osesp. Aqui ecoa, de certo modo, o que Walter Gropius se propunha na sua Bauhaus:

"O principal fundamento da Bauhaus é a ideia de uma nova unidade; uma conjunção das artes, estilos e aparências formando uma unidade indivisível. Uma unidade completa em si mesma, cujo significado somente é gerado através do vigor da vida."[3]

Expressão subjetiva, puro ensaio pictórico? Rigor estrutural revelado pelo uso da tipografia? Em que medida uma característica atende à outra, ou em qual medida entram em colisão? Em que medida o valor estético se impõe ao manejo dos processos técnicos? E, no sentido contrário, quando a técnica provê uma solução? Por fim, qual o grau de controle do processo exercido por Kiko e sua equipe em obra dotada de tamanha vitalidade? Essas questões permanecem no horizonte da nossa reflexão e nos conduzem a outras: quais as suas referências? Quais se manifestam nessa imensa produção? Alguma pista, segundo Kiko:

"O primeiro desenho que me marcou foi o Tintin. Até hoje fico besta com a clareza e economia do Hergé. A primeira grande referência entre os designers foi sem duvida Milton Glaser. [...] Outra referência fortíssima foi Saul Steinberg. [...] Depois descobri os poloneses, entre eles Roman Cieslewicz e Henryk Tomaszewski, e os outros, Paul Rand, A. M. Cassandre, Shigeo Fukuda."

Nenhum nome vinculado ao chamado Estilo Internacional é citado. Armin Hofmann, Karl Gerstner ou Josef Müller-Brockmann não aparecem, até porque, por questão cronológica, nenhum deles poderia estar mais diretamente vinculado à sua formação. Mas é por aquele caminho, em meio a

3. Walter Gropius, em fala registrada no documentário de Frank Whitford, *Bauhaus: The Face of the Twentieth Century*, Arthaus Musik, 1994.

As the group of posters can serve a clearly identifying function, over the immense collection Kiko enables the cohesive construction of a language that in the end, mimics itself through the precise nature of the phenomenon to which it refers – the musical manifestations of Osesp. In this way there is an echo of what Walter Gropius proposed for the Bauhaus:

"The main premise of Bauhaus is the idea of a new unity; a joining of the arts, styles and appearances to form an indivisible unity. A unity that is complete in itself, whose meaning is only generated through the vitality of life."[3]

Subjective expression, pure pictorial treatment? Structural rigor revealed through typography? How far does one characteristic serve the other, or to what extent do they collide? What influence does aesthetic value have on technical procedure? And contrastingly, when does technique provide a solution? Finally, what is the degree of control Kiko and his team have over the process in a work of such vitality? These questions hover on the brinks of our thoughts and lead us to others: what are his references? Which ones are manifested in this immense production? A clue, according to Kiko:

"The first drawing that inspired me was Tintin. Even now I am blown away by Hergé's clarity and economy. The first designer to impress me was, without a doubt, Milton Glaser. [...] Another strong reference was Saul Steinberg. [...] Then later I discovered the Poles, including Roman Cieslewicz and Henryk Tomaszewski, and others like Paul Rand, A. M. Cassandre, Shigeo Fukuda."

Not a single name connected to the so-called International Style is mentioned. Not Armin Hofmann, Karl Gerstner or Josef Müller-Brockmann come up, perhaps because chronologically, none of them could have been directly connected to his developmental path. But, along this path, in the midst of so much formal experimentation, we can see a certain persistence of the modern. While Kiko's references remind us of the precision of Hergé's lines, Steinberg's lyricism and humor, Polish style

3. Walter Gropius, in a conversation recorded in Frank Whitford's documentary, *Bauhaus: The Face of the Twentieth Century*, Arthaus Musik, 1994.

tamanha experimentação formal, que podemos notar certa persistência do moderno. Se as referências de Kiko remetem à precisão do traço de Hergé, ao lirismo e ao humor de Steinberg, à liberdade polonesa ou aos experimentos matisseanos de Paul Rand, ainda assim aqueles outros não citados lá se fazem presentes, embora Kiko não lhes deva nada. Mas então a quem deveria? Afinal, nada surge do nada, a vida se apresenta constantemente contendo traços do passado, ainda que entranhados em seu novelo, sem contorno muito nítido. Ainda assim, lá estão eles, em meio à nossa atitude – dos designers – diante dos projetos, em meio à nossa compreensão sobre os modos do como agir.

Não há outra maneira de se referir a esse tipo de fenômeno a não ser como a continuidade daquilo que é, por princípio, descontínuo – a vida. Essa não seria uma maneira de se refletir sobre essa obra para poder dela retirar algo que a transcenda, caminhando em direção a uma maior compreensão do que seja design?

Primeiramente, não nos devemos enganar e conduzir essa análise como algo que possa revelar um mesmo procedimento de conceituação, ou de projeto, como queiram. O conjunto de cartazes constitui diferenciadas séries que revelam diferentes partidos. Diferentes jogos de linguagem.

O designer é, antes de tudo, um manipulador de linguagens. Diante de cada problema apresentado, um conjunto entrelaçado de situações vem à baila, em um processo de perscrutação quase tátil. Identificam-se seus principais atores, em geral um demandante – um cliente – que almeja comunicar-se, para fins variados, com um determinado grupo de indivíduos – o público. Mas essa cena não se limita à participação de dupla tão conhecida. No cenário onde vai ser gestada uma determinada forma de comunicação, múltiplas vozes vão ali se articular: o designer, com suas habilidades específicas, condicionado por sua história pessoal e por toda sua carga eletiva baseada em afeto; a história do design gráfico vai contracenar, ora como pano de fundo, ora como referência explícita; as possibilidades

freedom and Paul Rand's Matissean experiments, those who are not referred to are still present, though Kiko owes them nothing. So to whom does he owe a debt? After all, nothing comes from nothing, life constantly contains traces of the past, even if – ill defined – they are hidden in its fabric. Despite this, they are there, in the midst of our approach – that of the designers – to projects, in the midst of our understanding of ways of behaving.

There is no other way of referring to this kind of phenomenon other than as the continuity of something that is, by definition, discontinuous – life itself. Could this not be the way of considering this work, so as to be able to extract something that transcends it, moving towards a greater understanding of what is design?

In the first case, we should not deceive ourselves and treat this analysis as one that can reveal just one conceptual or creative procedure. The group of posters is made up of different series that show different elements. Different language games.

Above all, the designer is a manipulator of language. Faced with each problem, an interwoven group of situations comes to light in an almost tactile process of scrutiny. In general, the principle actors are customers – clients –, who want to communicate, for a variety of reasons, with another group of individuals – the public. But this scenario is not limited to this familiar duality. In the set-up where a certain form of communication is to be developed, there are multiple voices to articulate: the designer, with his specialized abilities, conditioned by his personal history and his passion for his profession; the history of graphic design that can interact with it, either as a backdrop or as an explicit reference; the technological possibilities; the object itself as communication... And so, in a specific task, there will inevitably be many voices that will soar above or mix together with voices that are on occasion dissonant and on others harmonious.

tecnológicas; o objeto em si dessa comunicação... Enfim, em uma situação específica de projeto, serão muitas, inevitavelmente, as vozes que irão sobressair ou se misturar em acorde por vezes dissonante, por vezes harmônico.

Portanto, manipulador de linguagem fomentada por uma natureza muito diversa de estímulos, o designer será, sem dúvida, o maestro dessa polifonia. E sua escolha e decisão – sobre a natureza da imagem, sobre os elementos da tipografia, sobre a técnica de representação – serão determinantes nos resultados do trabalho.

Assim, Kiko confere a todos os cartazes a sua marca, mas como ela será de fato, se a forma tanto varia e os habituais traços de identidade se transformam a cada nova série? O que se evidencia não é o seu traço de ilustrador, mas sua identidade de designer. O designer que, em face daquela miríade de informações, determina caminhos, andamentos e intensidades. E no conjunto se revela reiteradamente uma constante que, por fim, se estabelece como sua identidade comum.

O sonho de "uma relação íntima entre as artes plásticas e a música", expresso pelo maestro John Neschling, o mais direto responsável pela oportunidade utilizada sem parcimônia por Kiko, proporcionou, em seu dizer, a possibilidade na qual "nós, da orquestra, teremos a honra de nos mostrar, fazer ver e não de nos fazer ouvir".[4] Aqui, enganou-se o maestro. Os cartazes para a Osesp repercutem sons, remetem a sequências rítmicas e tonais.

Na Bauhaus, nas experiências formais e na reflexão teórica conduzidas por Vassíli Kandinski, observa-se uma recorrente alusão às relações entre imagem e som, quando o artista estabeleceu relações diretas entre a natureza das formas, seus elementos e as relações que os governam.[5] Estão lá, relatados com precisão: ritmo, contraste e proporção. De que é feita a vida se não de relações dessa natureza? De que tipo de relações constitui a música? É assim que Giulio Carlo Argan se refere à celebrada pintura de Kandinski, afirmando que sua pintura não necessita de um referente para sensibilizar o público, sua abstração a

4. John Neschling, "Os sons que se escondem atrás dos cartazes". In: *Imagens da música por Kiko Farkas*. Catálogo de exposição. São Paulo: Instituto Tomie Ohtake, 2004.

5. Kenneth C. Lindsay; Peter Vergo (orgs.), *Kandinsky Complete Writings on Art*. Nova York: Da Capo Press, 1994.

Therefore, as a naturally diverse and stimulating manipulator of language, the designer is unquestionably the conductor of this polyphony. And his choices and decisions – on the nature of the image, on the elements of the typography, on the technique of representation – determine the results of the work.

Thus, Kiko puts his brand on all the posters; but what is his brand, if its form varies so much and if the habitual marks of identity are transformed in each new series? It is not his profile as an illustrator that is predominant, but his identity as a designer. The designer who, faced with that myriad of information, chooses paths, routes and intensities and who repeatedly reveals a constant in that body of work that eventually establishes itself as a common identity.

The dream of "an intimate relation between the visual arts and music", expressed by conductor John Neschling, who was the most responsible for the opportunity offered to Kiko, in his words enabled "us from the Orchestra, to have the honor of showing ourselves, making ourselves seen and not heard".[4] In this sense the conductor was mistaken. The posters for Osesp do reproduce sounds, and are reminiscent of rhythmic and tonal sequences.

In the Bauhaus, in the formal experiences and in the theoretical reflection made by Wassili Kandinsky, there is a recurrent allusion to the relations between image and sound, when the artist established direct relations between the nature of forms, their elements and the relations that govern them.[5] There they are, related with precision: rhythm, contrast and proportion. Of what else is life made if not relationships of this nature? What relations constitute music? Giulio Carlo Argan refers to Kandinsky's celebrated painting, and states that it has no need of references to sensitize the public, the abstraction that refers to nothing finds something in common with everyone. Although there is no portrayal of the real and concrete world, Kandinsky manages to move people, and to provoke reactions in them so they can relate in some way to each other and the sentiments there expressed, without intermediaries.

4. John Neschling, "Os sons que se escondem atrás dos cartazes". In: *Imagens da música por Kiko Farkas.* Exhibition catalog. São Paulo: Instituto Tomie Ohtake, 2004.

5. Kenneth C. Lindsay; Peter Vergo (orgs.), *Kandinsky Complete Writings on Art.* New York: Da Capo Press, 1994.

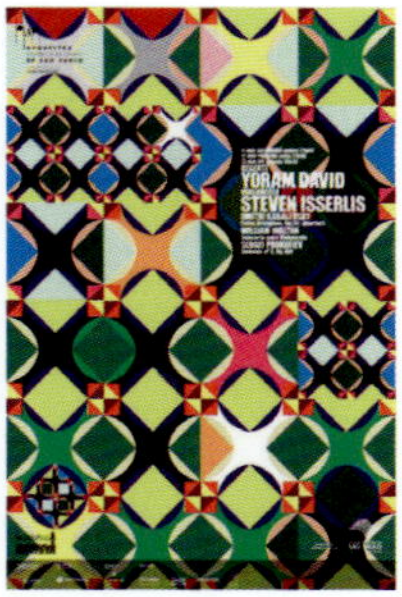

que nada refere encontra nas pessoas algo em comum. Embora não haja traço de algo do mundo real e concreto ali retratado, Kandinski consegue emocionar, provocar a reação de pessoas que, de algum modo, se relacionam sem intermediários com os sentimentos ali expressos.

"Da realidade em que o pintor, como qualquer outro, está mergulhado, ele não recebeu nem reteve senão imagens caducas, fragmentárias, desconexas; não de objetos definidos, mas de coisas paradas ou móveis, aguadas ou arredondadas, filiformes ou expandidas. Essas impressões não servem para reconhecer os objetos e menos ainda para representá-los, *interessam* [grifo do autor] ao sujeito, cuja existência também é constituída de êxtases e movimentos, tensões e distensões, e se realiza em um ambiente igualmente constituído por êxtases e movimentos, tensões e distensões."[6]

Se a operação conceitual e pictórica de Kiko Farkas guarda alguma semelhança com o exposto a respeito de Kandinski, disso, no entanto, não resulta um mero jogo sintático. Muita significação é por ele agregada, que faz a mesma operação: vibração rítmica somada a imagens selecionadas que ora ressaltam o lirismo de uma sessão anunciada, ora as rupturas tonais de outra.

Sobre a captura da imagem, ou sobre sua invenção é fundamental se perguntar: qual a decisão que se deu na escolha de uma borboleta, de um círculo, ou de uma foto da cidade de São Paulo? Para nosso propósito, não importa a imagem, já que nos interessa o autor e suas escolhas. Porque, necessário reafirmar, estamos diante de um designer-autor. Não um daqueles que gostaria de se perder no anonimato de caráter universal pretendido pela arte concreta, não! Kiko se situa simultaneamente no moderno e no contemporâneo, que contém a crítica ao moderno. Portanto, desde que sua voz se manifeste límpida, com característica autoral, no resultado de seus cartazes – lá está sua assinatura, tal qual Paul Rand assinava, tal qual Ivan Chermayeff assina, tal como Milton Glaser ainda o faz –, importa saber o que move a seleção ou a criação desta ou daquela outra imagem que lhe vai servir de mote para seu exercício gráfico.

6. Giulio Carlo Argan, *Arte Moderna*, São Paulo: Companhia das Letras, 1993, p. 319.

"From the reality in which the painter finds himself immersed, just like anyone else, he has neither received nor retained anything other than transitory, fragmentary, disconnected images; not of defined objects, but of things that are stationary or mobile, diluted or rounded, shrivelled or dilated. These impressions neither recognize nor represent the objects, they are *interesting* [author's emphasis] to the subject, whose existence also consists of ecstasies and movements, tensions and distensions, and is realized in an environment that is equally made up of ecstasies and movements, tension and distensions."[6]

If Kiko Farkas' conceptual and pictorial operations bear some resemblance to the statement about Kandinsky, it is not a merely syntactic game. It holds a great deal of meaning, it does the same thing: rhythmic vibration together with selected images that can emphasise the lyricism of a concert or the tonal ruptures of another.

Capturing an image, or inventing it, begs the question: what were the decisions that led to choosing a butterfly, or a circle, or a photograph of the city of São Paulo? For our purposes, it is not the image that interests us here, but their author and his choices. It is important to reiterate that we are talking about a designer-author. Not one who would like to lose themselves in the anonymity of the universalism of concrete art, no! Kiko is placed simultaneously in the modern and the contemporary – which contains within it criticism of the modern. Therefore, for as long as his voice is clear, and has an authorial tone, there is his signature in his posters –, just as with Paul Rand, Ivan Chermayeff, Milton Glaser, it is important to know what drives the selection or the creation of this or that image, and which one will serve him as a motif for his graphic projects.

Thus, where the image comes from is unimportant, what is important is the eye. The eye that determines the framing, that evaluates its possible uses, its production as texture, but also as a way of capturing other eyes, the eye of the common man, of the passer-by, of the layman. There is no doubt this selective eye is also an educated one. It is practised; it reaffirms the

c.

d.

6. Giulio Carlo Argan, *L' Arte Moderna*. Firenze: Sansoni, 1970.

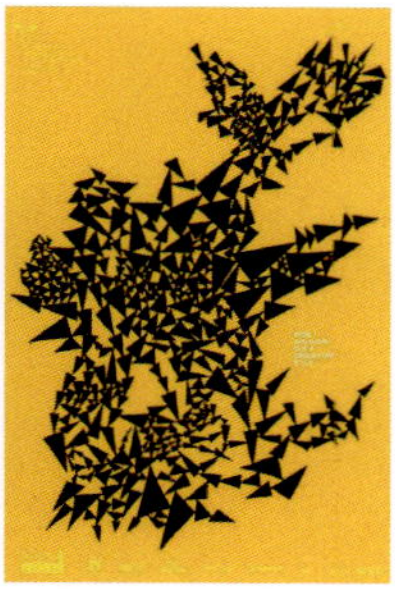

a.

b.

Aí não importa de onde veio a imagem, importa o olhar. O olho que determina um enquadramento, que avalia sua possível utilização, seu rendimento como textura, mas também como modo de capturar outros olhos, o olhar do homem comum, do observador disponível, do leigo. Esse olhar, o que seleciona, é culto, sem dúvida. É elaborado, pois reafirma todo o cabedal de informação que lhe confere a formação de designer. É o que o pesquisador inglês Nigel Cross chama de "*designerly ways of knowing*".[7] Esse olhar culto, elaborado, é fruto da trajetória pessoal de Kiko e do seu exercício como designer, que tem que ceder às circunstâncias especiais de cada projeto – suas limitações tecnológicas e temporais, além da necessária e precisa informação a ser repassada.

Desse modo, eis aqui alguns dos procedimentos adotados nesses múltiplos jogos de linguagem consubstanciados nas séries de cartazes:

a. imagens repetidas em proporções diversas, cuja disposição no espaço dado remete à repetição sistemática da construção musical;
b. formas orgânicas que contêm outras formas orgânicas da mesma espécie, reproduzindo estampas que se multiplicam em diferentes escalas;
c. texturas orgânicas conjugadas a formas geométricas e que escapam das formas que as encerravam, acentuando o contraste;
d. texturas irregulares, ainda que organizadas segundo algum padrão, que proporcionam o contorno para outras formas orgânicas;
e. exercícios com linhas que criam superfícies cujas posições se alternam através de dobraduras, torções e justaposições, estabelecendo ritmos e evoluções musicais;
f. o contraste proporcionado pela ordem tipográfica em contraste com o traço resultante do movimento gestual;
g. o *dripping*, homenagem direta ao controlado acaso desenvolvido por Jackson Pollock, conjugado à ordem precisa da tipografia;
h. imagens encontradas pelo olhar atento, sejam elas capturadas por outros, seja pelo próprio autor, não importa;
i. tramas quadrangulares conjugadas com tramas regulares de

7. Nigel Cross, *Designerly Ways of Knowing*. Londres: Springer, 2006.

wealth of information its owner can summon up as a designer. It is what English researcher Nigel Cross calls "designerly ways of knowing".[7] This educated, practised eye is the result of Kiko's personal trajectory as a designer, someone who has to satisfy the specific demands of each project – its technological and temporal limitations, as well the necessary and precise information to be passed on.

The following are just some of the processes to have been adopted in the multiple language games that are consubstantiated in this series of posters:

a. images repeated in different sizes, their placing in the space is reminiscent of the systematic repetitions of musical construction.

b. organic forms that contain other organic forms of the same kind, reproducing patterns that multiply on different scales;

c. organic textures joined to geometric forms, and which escape the surrounding shapes, thus accentuating the contrast;

d. irregular textures, but that are organized according to a pattern, and that provide the contour for other organic forms;

e. exercises with lines that create surfaces whose positions alternate through folds, twists and juxtapositions, thus establishing rhythms and musical evolutions;

f. the contrast provided by typographical order as opposed to the line that results from a movement;

g. "dripping"; a direct tribute to the controlled chance technique developed by Jackson Pollock, together with the exactitude of the typography;

h. images found by looking carefully, regardless of whether they are captured by others or the author himself;

i. quadrangular threads alongside regular circular ones, with a game of forward and backward movement that always manages to achieve original shapes;

j. the contrasting game between radically different scales of typography, in the style of Aaron Burns; among so many others...

Returning to the idea of the persistence of the modern in Kiko's work, the significant presence of those masters of the

e.

g.

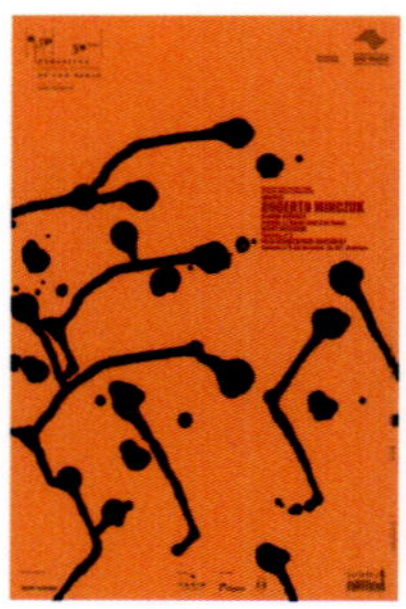

7. Nigel Cross, *Designerly Ways of Knowing*. London: Springer, 2006.

f.

h.

círculos, com um jogo de trazer para a frente, levar para trás, obtendo formas sempre originais;

j. o jogo contrastante entre escalas radicalmente diferentes da tipografia, à maneira de Aaron Burns; entre tantos outros...

Retornando à tese sobre a persistência do moderno no trabalho de Kiko, é nítida a presença, como pano de fundo, muito marcante aliás, daqueles mestres do Estilo Internacional – Emil Ruder, Josef Müller-Brockmann, Armin Hofmann e Karl Gerstner –, expressão cunhada para definir um tipo de jogo linguístico elaborado ao longo dos anos 1950-60, originado na Suíça, quando a ideia de sistema era central no design gráfico. Todos eles, naquela época, dedicaram-se a uma produção ímpar na história da linguagem gráfica, em que a noção de estrutura determinava a ordem tipográfica, conjugada com exercícios rítmicos e de contraste. Não por acaso, alguns de seus mais importantes cartazes dizem respeito a apresentações musicais.

Por mais que esta série de cartazes desenvolvida para a Osesp seja absolutamente original, livre, e carregada de uma intensa expressão pessoal, seu resultado está fortemente impregnado dessa cultura, talvez a mais emblemática do design gráfico moderno. Por essa razão, é que o trabalho aqui apresentado se inclui na experiência do design como um todo, não sendo possível impingir-lhe qualquer tipo de rótulo, a não ser o de ser um partícipe, dos melhores, junto àqueles dessa grande trajetória.

Livre, investigativo, propositor de novas formas, reciclador de velhas formas, Kiko ainda acrescenta algo que se situa, talvez, no centro, no verdadeiro eixo da atividade: a tipografia como protagonista. Ainda que por vezes sua presença seja aparentemente complementar à imagem, este é um trabalho que não se finaliza, que não se concretiza na fruição de um único exemplar dessa imensa série. Há algo que, se supõe, seja contínuo, que se realimenta da experiência passada – no último concerto, você viu? – e que pavimenta o caminho para a leitura futura. Nesse sentido, a tipografia é protagonista. A chave é o jogo de contrastes, as precisas guias de ordenação, os conjuntos

International Style – Emil Ruder, Josef Müller-Brockmann, Armin Hofmann and Karl Gerstner, – is clear; an expression adopted to define a kind of linguistic game that was elaborated throughout the 1950s, with its origins in Switzerland, when the idea of system was central to graphic design. At the time, all of these men dedicated themselves to an unparalleled production in the history of graphic language, in which the idea of structure determined typographic order, rhythmic exercises and contrast. It is not by chance that some of their most significant posters were for musical presentations.

While clearly this series of posters developed for the Osesp are completely original, free and charged with an intensely personal expression, the results are also strongly impregnated with this culture, perhaps the most emblematic of modern graphic design. Because of this, the work presented here is a part of the experience of design as a whole, thus making it impossible to impose any other kind of label than that of a participant, one of the best, together with those others in this great trajectory.

Free, investigative, the proponent of new forms, a recycler of old forms, Kiko still manages to add something that places him near the center, on the axls of the action: where typography is the protagonist. While sometimes its presence appears merely complementary to the image, this is something that is not finalized, that cannot be set in the fruition of a single example from this vast series. There is something that, one supposes, is continuous, that feeds off past experience – in the last concert, did you see it? – and that paves the way for future readings. In this sense the typography is the protagonist. The key is in the play of contrasts, the exact guidelines of order, the groupings of graphic mass configured by these little things that serve to tell us so much: letters transformed into typography.

For these reasons, Kiko Farkas is above all a designer. His skill gives him a rare degree of freedom to control his systems. Along his path, with such a diverse way of seeing, Kiko is immersed in what one may certainly call the admirable culture of design.

i.

j.

de massa gráfica configurados por essas pequeninas coisas que nos servem para dizer tanto: letras transformadas em tipografia.

Por essas e outras, Kiko Farkas é sobretudo um designer. Sua destreza lhe autoriza um raro grau de liberdade no controle dos seus sistemas. Ao longo de seu caminho, com o olhar tão diversamente orientado, Kiko segue imerso no que se pode nomear, sem dúvida, como a tão notável cultura do design.

About the author

Kiko Farkas graduated from the Faculty of Architecture and Urbanism at the University of São Paulo, in 1982. In 1987, he opened the Máquina Estúdio [Studio Machine] in Pinheiros, São Paulo, where he still works with his three assistants, focussing principally on editorial design.

In 2005, the studio won a contest to create the Marca Brasil [Brazil Brand], a corporate identity program for tourism and export. In 2006, Kiko Farkas was invited by the Ministry of Culture to co-curate and organize the creation of the Brazilian pavilion at the DesignMai fair at the Berlin Cup of Culture.

Kiko Farkas is an AGI (Alliance Graphique Internationale) member and was one of the founders of ADG Brasil [Graphic Designers' Association]. His awards include three Jabutis from the Câmara Brasileira do Livro [Brazillian Chamber of Books] (1995, 1997 and 2007) and the Prêmio Aloísio Magalhães da Biblioteca Nacional [Aloísio Magalhães National Library Prize] (2008).

Some of the posters in this book were included in the exhibition *Imagens da Música – 50 Cartazes Criados para a Osesp* [Images of Music – 50 posters created for Osesp], shown at the Instituto Tomie Ohtake, in 2004, São Paulo, Brazil.

Sobre o autor

Kiko Farkas formou-se na Faculdade de Arquitetura e Urbanismo da Universidade de São Paulo em 1982. Em 1987 abriu, no bairro de Pinheiros em São Paulo, a Máquina Estúdio, onde trabalha até hoje com mais três assistentes, dedicando-se principalmente ao design editorial.

Em 2005 o estúdio venceu o concurso para a criação da Marca Brasil, programa de identidade corporativa para o setor de turismo, que foi também usada como sinal de procedência para produtos exportados. Em 2006, a convite do Ministério da Cultura, Kiko Farkas foi cocurador e responsável pela criação do pavilhão brasileiro na feira DesignMai no programa Copa da Cultura, em Berlim.

Kiko Farkas é membro da AGI (Alliance Graphique Internationale) e foi um dos fundadores da ADG Brasil (Associação dos Designers Gráficos). Entre os prêmios recebidos estão três Jabutis da Câmara Brasileira do Livro (1995, 1997 e 2007) e o Prêmio Aloísio Magalhães da Biblioteca Nacional (2008).

Alguns dos cartazes contidos nesse livro integraram a exposição Imagens da Música – 50 Cartazes Criados para a Osesp, no Instituto Tomie Ohtake em 2004, São Paulo, Brasil.

Agradecimentos
Acknowledgements

Arthur Nestrovski
Carla Caffé
Chico Homem de Melo
Elaine Ramos
Fernando Henrique Cardoso
Fernando Ullmann
João de Souza Leite
John Neschling
Mariana Lanari
Michele Alves
Osesp
Paula Scher
Sergio Fingermann
Thiago Lacaz

Agradecimentos
especiais aos designers
que trabalharam
comigo e ajudaram a criar
esses cartazes
Special thanks to
the designers
who worked with me
and helped to create
these posters

Caio Campana
Elisa Von Randow
Hugo Timm
Mateus Valadares

Créditos das fotografias
Photo credits

pp. 70-71 Thomaz Farkas / Acervo IMS
p. 72 Marcel Gautherot / Acervo IMS
p. 73 Alice Brill / Acervo IMS
pp. 76-77 Juvenal Pereira

Coordenação editorial Editorial coordination Elaine Ramos
Preparação Portuguese text editing Pedro Paulo da Silva
Versão em inglês English version Juliet Attwater
Revisão Proof reading Tereza Gouveia & Henrik Carbonnier
Tradução do texto da Paula Scher Paula Scher's text translation Fernanda Fadel
Projeto gráfico Design Kiko Farkas / Máquina Estúdio
Designers assistentes Assistant designers Thiago Lacaz, Mateus Valadares, André Farkas

Nesta edição, respeitou-se o novo Acordo Ortográfico da Língua Portuguesa

Dados Internacionais de Catalogação na Publicação (CIP)
(Câmara Brasileira do Livro, SP, Brasil)

Farkas, Kiko (1957-)
Cartazes musicais; Musical Posters / Kiko Farkas; com textos de João de Souza Leite, Paula Scher e Arthur Nestrovski; [tradução dos textos para o inglês Juliet Attwater]
São Paulo: Cosac Naify, 2009
15[illegible] pp., 128 ils.

Edição bilíngue : português / inglês
ISBN 978-85-7503-854-3

1. Cartazes 2. Design gráfico 3. Designers – Brasil 4. Música – Cartazes
I. Leite, João de Souza. II. Scher, Paula. III. Nestrovski, Arthur IV. Título.
V. Título: Musical posters.

09-09594 CDD 741.6

Índices para catálogo sistemático: 1. Cartazes musicais: Design 741.6

COSAC NAIFY
Rua General Jardim, 770, 2º andar
01223 010 São Paulo SP
Tel [55 11] 3218 1444
www.cosacnaify.com.br

Atendimento ao professor [55 11] 3218 1473

fonte typeface Freight sans / Adobe Garamond
papel paper couché fosco 90 g/m²
pré-impressão impressão e acabamento Ipsis
pre-press, printing and binding
tiragem print run 3000